1 MONTH OF
FREE
READING

at
www.ForgottenBooks.com

By purchasing this book you are eligible for one month membership to ForgottenBooks.com, giving you unlimited access to our entire collection of over 700,000 titles via our web site and mobile apps.

To claim your free month visit:
www.forgottenbooks.com/free1176526

ISBN 978-0-331-46713-0
PIBN 11176526

BEITRÄGE

ZUR KENNTNISS

DES RUSSISCHEN REICHES

UND DER

ANGRENZENDEN LÄNDER ASIENS.

ZWEITE FOLGE.

AUF KOSTEN DER KAISERLICHEN AKADEMIE DER WISSENSCHAFTEN

HERAUSGEGEBEN VON

G. v. HELMERSEN UND L. v. SCHRENCK.

BAND VII.

Theodor PLESKE, ÜBERSICHT DER SÄUGETHIERE UND VÖGEL DER KOLA-
HALBINSEL. THEIL I. SÄUGETHIERE.

Mit einer Tafel.

—∞∞⧳∞∞—

ST. PETERSBURG, 1884.

COMMISSIONÄRE DER KAISERLICHEN AKADEMIE DER WISSENSCHAFTEN:

IN ST. PETERSBURG	IN RIGA	IN LEIPZIG
EGGERS & CO. UND	N. KYMMEL;	VOSS SORTIMENT
J. GLASUNOF;	—	(G. HAESSEL).

PREIS: 1 RUB. 30 KOP. = 4 MRK. 30 PF.

BEITRÄGE

ZUR KENNTNISS

DES RUSSISCHEN REICHES

UND DER

ANGRENZENDEN LÄNDER ASIENS.

ZWEITE FOLGE.

AUF KOSTEN DER KAISERLICHEN AKADEMIE DER WISSENSCHAFTEN

HERAUSGEGEBEN VON

G. v. HELMERSEN und L. v. SCHRENCK.

BAND VII.

Theodor PLESKE, ÜBERSICHT DER SÄUGETHIERE UND VÖGEL DER KOLA-HALBINSEL. THEIL I. SÄUGETHIERE.

Mit einer Tafel.

———◦◦◦◦◦———

ST. PETERSBURG, 1884.

COMMISSIONÄRE DER KAISERLICHEN AKADEMIE DER WISSENSCHAFTEN:

IN ST. PETERSBURG	IN RIGA	IN LEIPZIG
EGGERS & CO. UND J. GLASUNOF;	N. KYMMEL;	VOSS SORTIMENT (G. HAESSEL).

PREIS: 1 RUB. 30 KOP. = 4 MRK. 30 PF.

Gedruckt auf Verfügung der Kaiserlichen Akademie der Wissenschaften.
Januar 1884.

C. Vesselofski, beständiger Secretär.

ÜBERSICHT

DER

SÄUGETHIERE UND VÖGEL

DER

KOLA-HALBINSEL.

Von **Theodor Pleske,**

Cand. d. Naturwissenschaften.

Theil I. SÄUGETHIERE.

Mit einer Tafel.

(Der Akademie vorgelegt am 1. März 1883.)

ST. PETERSBURG, 1884.

Buchdruckerei der Kaiserlichen Akademie der Wissenschaften.

(WASS. OSTR., 9. LIN., № 12.)

Vorwort.

Im Frühlinge des Jahres 1880 sandte die St. Petersburger Naturforscher-Gesellschaft eine grossartig ausgestattete Expedition zur Erforschung der Fauna des russischen Laplandes und namentlich der Murmanküste aus. Die Mehrzahl der Mitglieder dieser Expedition sollte faunistischen Studien an der Murmanküste obliegen, während einem kleineren Theile derselben die Aufgabe gestellt wurde, die lapländische Halbinsel in der Richtung von Süden nach Norden zu durchschreiten, um die an der Murmanküste gewonnenen Resultate durch Material aus dem Innern des Landes zu ergänzen. Der Leiter der Expedition, Prof. Modest Bogdanow, machte mir den Vorschlag, den zweiten Punkt des Planes in Gemeinschaft mit Herrn W. Lawrow auszuführen.

Wir verliessen St. Petersburg am 29. Mai und gelangten am 6. Juni nach Ssumskoj Possad am Weissen

Meere. Nachdem sich die beiden Theile der Expedition hier getrennt hatten, reiste ich am 10. Juni mit Herrn W. Lawrow auf einem Segelboote längs der Westküste des Weissen Meeres bis nach Kandalakscha, welches wir am 1. Juli erreichten. In Kandalakscha erwies es sich, dass wir die Reise unmöglich zusammen fortsetzen konnten, da die ungenügenden Transportmittel unserer, gemeinschaftlichen Beförderung unüberwindliche Schwierigkeiten entgegenstellten. Dieser Umstand zwang Hrn. Lawrow in Kandalakscha zurückzubleiben; er sammelte sehr eifrig in der Umgegend des Ortes bis zum 25. August und begab sich alsdann auf die Heimreise. Ich verliess dagegen Kandalakscha am 14. Juli und langte am 9. August in Kola an. Ausser dem zweiwöchentlichen Aufenthalte in Kandalakscha, habe ich mich noch zu je 7 — 10 Tagen auf den Stationen Saschejek und Rasnavolok am Imandra-See und auf der Station Masselga am Kolosero aufgehalten. Die übrigen Stationen, wie Jokostrow, Kitzä und die Chibiny-Gory (Umpdück-Tundra) habe ich nur flüchtig berührt. In Kola hielt ich mich vom 9. bis zum 24. August auf, worauf das Dampfboot mich aufnahm und über Wadsoe und Wardoe nach Archangelsk brachte.

Ehe ich zur genauen Erörterung des Planes der vorliegenden Arbeit übergehe, halte ich es für nothwendig, einige allgemeine Gesichtspunkte über faunistische Arbeiten überhaupt zu berühren. Faunistische Untersuchungen können auf zweierlei Weise angestellt werden. Entweder lässt sich der betreffende Beobachter in der erwählten Gegend auf eine Reihe von Jahren nieder, wählt sich ein beschränktes Gebiet aus und erforscht es unter verschiedenen Verhältnissen. Diese Art des Arbeitens ist die einzig richtige und zweckmässige, sowohl für den Sammler, als auch für den Beobachter, und sind die Resultate, die auf solche Weise gewonnen werden, von ganz besonderer Wichtigkeit. Andererseits erlauben manchmal die Umstände kein solches Forschen und bleibt dem Beobachter nichts übrig, als kürzere Ausflüge zu veranstalten. Auf solchen Ausflügen, zu denen ich auch meinen zweimonatlichen Aufenthalt in Lapland rechne, bekommt man im besten Falle nur eine Idee von dem Lande, das man bereist, und die Güte oder die Mängel der Ausbeute hängen ganz vom Zufall ab. Dem entsprechend sind also auch die wissenschaftlichen Resultate, und können dieselben nie auf eine gewisse Vollständigkeit Anspruch erheben. Die Bearbeitung solcher Resultate ist ganz besonders schwierig, da einerseits die spärlichen eigenen Beobachtungen wenig zur Kenntniss der Fauna des Landes beitragen, andererseits die Versuche, Gesammtbilder auf Grund der eigenen Resultate zu entwerfen, gewöhnlich gänzlich misslingen. In Folge dieser negativen Seiten der Sache muss man, meiner Ansicht nach, einen anderen Gesichtspunkt in gebührendem Maasse ausbeuten. Dieser besteht nämlich darin, dass man die kritische Anschauung, die man auf Grund der Autopsie von einer Gegend gewonnen hat, auf die Resultate der Vorgänger anwendet und die Fauna des Landes, so zu sagen, kritisch beleuchtet. Diese Art des Verfahrens hat auch den unbedingten Vortheil, dass sie künftigen Reisenden ihre Aufgabe bedeutend erleichtert, indem dieselben in einem Werke die Resultate aller Vorgänger vereinigt finden. Sie werden somit einerseits der zeitraubenden Arbeit des Sammelns der Litteratur überhoben und können andererseits, da sie im Besitze eines Compendiums der früheren Resultate sind, leicht deren Lücken bemerken.

Die eben erörterte Ansicht bewog mich, auch meine Resultate in der besprochenen Art zu veröffentlichen. Ich beabsichtigte demnach die ganze Arbeit in drei Theile zu zerlegen. Der erste sollte eine Uebersicht der Säugethiere enthalten, der zweite eine ähnliche der Vögel und der dritte die Vertheilung beider Classen in den verschiedenen Pflanzengürteln Laplands behandeln. Ehe ich an das Sammeln des dazu nothwendigen Materials schreiten konnte, musste ich das Gebiet, welches in Betracht gezogen werden sollte, genau begrenzen. Die politische Grenze des russischen Laplandes, ist |zu einer solchen Begrenzung ganz untauglich und musste von ihr vollkommen abgesehen werden. Ich beschloss daher die angrenzenden Theile vom finnischen und schwedischen Laplande, sowie einen Theil Ost-Finmarkens hinzuzuziehen. Demnach ist das behandelte Gebiet folgendermassen begrenzt. Im Norden — das Eismeer; im Westen der Tana-Fjord und Tana-Fluss, dann der Muonio und Torneå bis zum Bottnischen Meerbusen. Im Süden muss man sich eine Linie denken, die von Torneå nach Kandalakscha gezogen ist; weiter nach Osten hin wird das Gebiet durch das Weisse und das Eismeer begrenzt. Hierauf begann ich die Litteratur des erwählten Gebietes möglichst sorgfältig zusammenzutragen, stiess aber dabei auf Schwierigkeiten, welche das Erscheinen des Werkes sehr verzögerten. Einerseits erwies sich ein grosser Theil der einschlägigen Litteratur in schwedischer. Sprache abgefasst, die erst erlernt werden musste, andererseits erschwerte der gänzliche Mangel an Jahresberichten für Russland die Sache bedeutend. Häufig konnte ich auch die betreffenden Arbeiten, die ihrem Titel nach Material zu enthalten versprachen, in St. Petersburg nicht auftreiben, so dass manche Werke und Zeitschriften, die mir bekannt geworden sind und unbedingt auch Nachrichten über Lapland enthalten müssen, unberücksichtigt geblieben sind. Besonders bedauere ich die «Jägarforbündets Nya Tidskrift» nicht benutzt zu haben, da manche interessante Angabe über Lapland in ihr zu finden sein dürfte. Sehr günstig für meine Arbeit war das Erscheinen der zoologischen Bibliographie Russlands im Journal «Priroda i Ochota» (Природа и Охота). Nur .Diejenigen, welche die zoologische Litteratur Russlands kennen zu lernen versucht haben, können beurtheilen, zu welchem Danke alle russischen Naturforscher Herrn Leonidas Sabanejeff für seine mühevolle Arbeit verpflichtet sind. Grosse Schwierigkeiten bereiteten mir ferner manche Angaben allgemeiner Natur. Viele Forscher führen Thiere für Lapland oder das nördliche Skandinavien an, ohne genaue Angabe des Fundortes. Da ich in solchen Fällen durchaus keine Garantie hatte, dass der betreffende Fund wirklich in dem von mir angenommenen Gebiete gemacht worden ist, so blieb mir kein anderer Ausweg, als alle diese Angaben einfach wegzulassen. Hieraus ersieht man auch den Grund, warum Arbeiten von tüchtigen Forschern, wie Linné, Retzius, Nilsson, und einige schwedische Excursionsfaunen gänzlich weggelassen worden sind. Die Angaben wurden nur in dem Falle aufgenommen, wenn der Fundort oder wenigstens der betreffende Theil Laplands genau angegeben war.

Das besprochene Sammeln der Litteratur dauerte bis zum Herbst 1882 fort, und erst um diese Zeit konnte ich zur Ausarbeitung des Materials schreiten. Dieser Ausarbeitung traten die Vorbereitungen zu meiner bevorstehenden Reise in's südliche Ussuriland hemmend entgegen, und diese letzteren tragen die Schuld daran, dass ich jetzt statt aller drei Theile nur den ersten Theil meiner Arbeit veröffentlichen kann. Das Material zur Bearbeitung der Vogelfauna ist auch schon vollkommen fertig, so dass dem Erscheinen des zweiten Theils kein anderes Hinderniss als Zeitmangel im Wege steht. Aus diesem Grunde hoffe ich den zweiten Theil im Laufe des Winters 1883/84 in Wladiwostok ausarbeiten zu können, weiss aber im Augenblicke noch nicht, ob es möglich sein wird, den dritten Theil ohne die nöthige Litteratur zu verfassen, da die Vorarbeiten zu demselben nicht zum Abschluss gebracht sind. Sollte ich aber auch an der Ausführung meines jetzigen Planes verhindert sein, so werde ich dem zweiten Theile eine kurze Beschreibung Laplands hinzufügen, mit besonderer Berücksichtigung aller Factoren, die auf die Verbreitung der Thierwelt Einfluss haben. Demnach glaube ich an diesem Orte von einer Beschreibung des Landes abstehen zu können.

Indem ich nun durch das früher Gesagte die schwache Seite der Arbeit — ihren compilativen Charakter — wenn auch nicht entschuldigt, so doch motivirt zu haben glaube, übergebe ich dieselbe der Oeffentlichkeit mit der Bitte, den Mängeln derselben mit Nachsicht begegnen zu wollen, in Anbetracht der grossen Mühe, welche sie mir gekostet hat.

Es bleibt mir die Erfüllung der angenehmen Pflicht übrig, allen Gönnern der Arbeit meinen besten Dank auszusprechen. Vor allen Dingen gebührt derselbe Herrn Prof. Dr. Modest Bogdanow, der mir die Gelegenheit verschafft hat, Lapland zu bereisen. Nicht minder verpflichtet fühle ich mich meinen Reisegefährten gegenüber. Herr W. Lawrow hat mit grossem Erfolge in Kandalakscha gearbeitet und mir sein Material freundlichst zur Verfügung gestellt; auch Herr Cand. N. Kudrjawzeff, der Geologe unserer Expedition, hat bei jeder Gelegenheit meine Arbeit zuvorkommend unterstützt.

Dennoch wäre die Arbeit nicht denkbar gewesen, wenn nicht Herr Akademiker Dr. A. Strauch mir die unumschränkte Benutzung der Bibliotheken der Akademie der Wissenschaften in liberalster Weise gestattet hätte. Genanntem Herrn bin ich ganz besonderen Dank schuldig.

Sehr verpflichtet bin ich ferner Herrn Akademiker Leopold von Schrenck für die freundliche Aufnahme der Arbeit in die Beiträge zur Kenntniss des Russischen Reiches und Herrn Alexander Büchner für die Besorgung der Correctur beim Drucke der Arbeit.

St. Petersburg, d. 13. Februar 1883.

Th. Pleske.

Litteratur-Verzeichniss.

(Die mit einem * bezeichneten Werke sind dem Verfasser nicht zugänglich gewesen.)

I. **1567. Olai Magni,** Gothi, Archiepiscopi Upsaliensis, Historia de Gentium Septentrionalium variis conditionibus. Basileae. fol.

II. **1580. Wunderzeitung von Mäusen,** so in Norwegen aus der Luft gefallen sind Anno 1579. Ulssen. 4⁰.

III. **1650. Scaligeri,** Julii Caesaris, Exotericarum exercitationum Liber XV. Francofurti. 8⁰.

IV. **1652. Olai-Magni,** Gentium Septentrionalium Historiae Breviarium. Lugd. Batavorum. 12⁰.

V. **1653. Worm, Ol.** Historia Animalis quod in Norvagia quandoque e nubibus decidit et sata ac gramina, magno incolarum detrimento cellerime depascitur. Hafniae. 4⁰.

VI. **1655. Worm, Ol.** Museum Wormianum seu Historia rerum rariorum, tam. Naturalium, quam Artificalium, tam Domesticarum, quam Exoticarum, quae Hafniae Danorum in aedibus Authoris servantur. Variis et accuratis Iconibus illustrata. Amstelodami. fol.

VII. **1672. Tornaei Johannis,** J. Mag., Prostens och Kyrko-Herdens i Tornå, Beskrifning öfver Tornå och Kemi Lappmarker. 8⁰.

VIII. **1673. Schefferi,** Joannis Argentoratensis, Lapponia, id est, regionis lapponum et gentis nova et verissima

descriptio in qua multa de origine, superstitione,
sacris magicis, victu, cultu, negotiis Lapponum, item
Animalium, metallorumque indole, quae in terris
eorum proveniunt, hactenus incognita Produntur, et ei-
conibus adjectis cum cura illustrantur. Francofurti,
ex officina Christiani Wolffii. Typis Joannis Andreae..
8⁰. Cap. XXIV, p. 336—347, Cap. XXX, p. 347—
352.

IX. 1674. Olearius, Adam. Gottorffische Kunst-Kammer,
zusammengetragen durch Ad. Olearium, weil. Bi-
bliothecarium und Antiquarium auff der Fürstl. Re-
sidentz Gottorff. 4⁰.

X. 1675. Martinière. Neue Reise in die Nordischen Landschaften. Hamburg. 8⁰.

XI. 1699. Rycaut, Paul, Sir. A Relation of the small Crea-
tures called Sable-Mice., which have lately come in
Troops into Lapland, about Thorne, and other Places
adjacent to the Mountains, in Innumerable Multitu-
des. Communicated from Sir Paul Rycaut, F. R. S.
to Mr. Ellis, and from him to the R. S. Philosophical
Transactions. Vol. XXI, p. 110—112.

XII. 1707. Örn, Nicolaus. Kurze Beschreibung des Laplandes. Bremen. 8⁰.

*XIII. 1740. Linné. Annotationes de animalibus quae in
Norvegia e nubibus decidere dicuntur. Analecta
transalpina. T. I, p. 68.

XIV. 1740. Linnaei, C., Med. Doct. Anmärkning öfver de
Diuren, som sågas komma neder utur Skyarna i Nor-
rige. Kgl. Sv. Vet. Ak. Handl. Vol. I, p. 320—325.

*XV. 1742. Högström, Peter. De animalibus quae in Nor-
vegia de nubibus decidere creduntur. Analecta transalpina. T. II, p. 160.

XVI. 1744. Outhier, M. Journal d'un voyage au Nord en
1736 et 1737. Paris. 4⁰.

XVII. 1748. Scheller, Joh. Gerh. Reise-Beschreibung nach
Lapland und Bothnien. Jena. 8⁰.

XVIII. 1749. Högström, Peter. Anmärkning öfver de djuren,

som sågas kómma ned utur skyarne i Nörrige. Kgl. Sv. Vet. Ak. Handl. Vol. X, p. 14—23.

XIX. 1753—54. Pontoppidan, Erich. Versuch einer natürlichen Historie von Norwegen. Aus dem dänischen übersetzt von J. A. Scheiben. Kopenhagen. 2. Bd. 8°.

XX. 1767. Leemii, Canuti, De Lapponibus Finmarchiae eorumque lingua, vita et religione pristina Commentatio, multo tabulis aeneis illustrata una cum J. E. Gunneri Notis. Kjöbenhavn. 4°.

XXI. 1767. Moncali, Alberto. Storia del Leming, tratta da un articolo di Lettera del Signor Alberto Moncali al Compilatore, scritta a Stockolmo, sotto i 17 Settembre dell anno presente. Giornale d'Italia, spettante alla scienza naturale, e principalmente all' agricoltura, alle arti, ed al commercio. Tomo Terzo, pp. 189—191. Venezia. 4°.

XXII. 1772. Lagus, Elias. Beskrifning öfver Kusamo Socken i Kimi Lappmark. Sv. Vet. Ak. Handl. Vol. XXXIII, p. 349—358.

XXIII. 1775. Hammer, Christopher. Fauna norvegica eller Norsk Dyr-Rige. Kjöbenhavn. 8°.

XXIV. 1778. Lepechin, J. Phocarum Species descriptae. Acta Acad. Imp. Sc. T. I, P. I, p. 257.

XXV. 1778. Pallas, P. S. Novae Species Quadrupedum e Glirium Ordine, cum Illustrationibus variis complurium ex hoc ordine animalium. Erlangae. 4°.

XXVI. 1780. Лепехинъ, Иванъ. Дневныя записки путешествія по разнымъ провинціямъ россійскаго государства въ 1771 г. С. Петербургъ. 4°.

XXVII. 1784. Pennant, Th. Artic Zoology. London. Vol. 2. 4°.

XXVIII. 1790. Enckel, Nils. Observationer, gjorde i Sodankylå Lappmark år 1789. Kgl. Vet. Ak. Handl., p. 78—79.

XXIX. 1793. Pennant, Th. History of Quadrupeds. The third Edition. Vol. I and II. London. 4°.

XXX. 1798. Thunberg, C. P. Beskrifning på Svenske Djur.

Förste Classen. Mammalia eller Däggande Djuren. Upsala. 8⁰.

XXXI. 1800. **Georgi**, J. G. Dr. Geographisch-physika-
lische und naturhistorische Beschreibung des
Russischen Reichs. III. Th. Bd. VI. Königs-
berg. 8⁰.

XXXII. 1804. **Grape**, Er. J. Utkast till Beskrifning öfver
Enontekis Sokn i Torneå Lappmark. Kgl. Vet.
Ak. Nya Handl. Tome XXV, p. 86 — 102.

XXXIII. 1804. **Acerbi**, Joseph. Voyage au Cap-Nord, par
la Suède, la Finlande et la Laponie. Tome I, II,
III. Traduction d'après l'original anglais, revue sous les yeux de l'auteur, par Joseph Laval-
lée. Paris. 8⁰.

XXXIV. 1804. **Wahlenberg**, Göran. Geogr. och Ekonomisk
Beskrifning om Kemi Lappmark. Stockholm. 8⁰.

XXXV. 1804. **Озерецковскій, Николай**. Описаніе Колы и
Астрахани. С.-Петербургъ. 8⁰.

XXXVI. 1811. **Linnaeus**, L. Lachesis Lapponica, or a tour
in Lapland, now first published from the original Manuscript Journal of the celebrated Linnaeus by J. E. Smith. Vol. 2. London. 8⁰.

XXXVII. 1811. **Pallas**, P. Zoographia Rosso-Asiatica. Pe-
tropoli. 4⁰.

XXXVIII. 1813. **Молчановъ, С.** Козма. Описаніе Архангельской Губерніи. С.-Петербургъ. 4⁰.

XXXIX. 1819. **Bedemar**, Vargas. Reise nach dem Hohen
Norden durch Schweden, Norwegen und Lappland. In den Jahren 1810, 1811, 1812 und
1814. Bd. I und II. Frankfurt a. M. 8⁰.

XL. 1822. **Zetterstedt**, J. W. Resa genom Sweriges
och Norriges Lappmarker. Del I och II. Lund. 8⁰.

XLI. 1823. **Schubert**, Fr. W. Reise durch Schweden,
Norwegen, Lappland, Finnland und Ingermann-
land in den Jahren 1817, 1818 und 1820.
Zweiter Band. Leipzig. 1823—1824. 8⁰.

XLII. 1823. **Thunberg**, C. P., resp. **Tigerhjelm**, L. G.

Illustratio animalium sueciae rariorum. 'Upsaliae. 4⁰.

XLIII. 1824. Thunberg, C. P., resp. Stjernsten, C. R. Canis species, Scandinaviam inhabitantes. Upsaliae. 4⁰.

.XLIV. 1827. Capell-Brooke, Arth. de. A Winter in Lapland and Sweden with various observations relating to Finmark and its Inhabitants. 4⁰.

XLV. 1828. Sjögren, Andr. Joh. Bemerkungen über die russischen Lappmarken. Auszug aus Anteckningar om församlingarne i Kemi Lappmark. Helsingfors. 8⁰.

XLVI. 1829. Everest, Robert, Rev. A Journey through Norway, Lapland and Part of Sweden. London. 8⁰.

XLVII. 1829. Двигубскій. Опытъ естественной Исторіи всѣхъ животныхъ Россійской Имперіи. Москва. 8⁰.

XLVIII. 1830. Рейнеке, Флота-Лейтенантъ. Описаніе города Колы въ россійской Лапландіи. С.-Петербургъ. 8⁰.

XLIX. 1831. Keilhau, B. M. Reise i Öst- og West-Finmarken, samt til Beeren Eiland og Spitsbergen, i Aarene 1827 og 1828. Christiania. 8⁰.

L. 1832. Laestadius, L. L. Bjorn-jagten i Lappmarken. Tidskrift f. Jäg. och Naturforskare. T. I, p. 24—27.

LI. 1832. Söderhjelm, F. Fjell-Lemmelns Utvandringar. Ibidem, T. I, p. 159—163.

LII. 1832. Byström, Hr. Ibidem, T. I, p. 163.

LIII. 1832. Ekström, J. Ibidem, T. I, p. 163.

LIV. 1832. Beckmann, Ch. Ibidem, T. I, p. 163.

LV. 1832. Laestadius, L. Ibidem, T. I, p. 163.

LVI. 1832. Sammendrag af Zoologiska uppsatser öfver Scandinaviens Landt-Bjorn (Ursus arctos Lin.). Ibidem, T. I, p. 166—177.

LVII. 1832. Littorin, Sv. Ytterligare om Fj.-Lemmeln. Ibidem, T. I, p. 246.

LVIII. 1832. Bjorkmann, Joh. Ibidem, T. I, p 247.

LIX. 1832. Boström, L. O. Ibidem, T. I, p. 247.

LX. 1832. Grönlund, Conrad. Ibidem, T. I, p. 247.

LXI. 1832. Arfvedson, J. Ed. Dagbok under en Resa i Lapland i 1832 (Auszug). Ibidem, T. I, p. 248.

LXII. 1832. Laestadius, L. L. Tidskrift f. Jäg. och Naturforskare. T. I, p. 282 — 283.

LXIII. 1832. Borin, Hr. Ibidem, T. I, p. 283.

LXIV. 1832. Ekström, J. Ibidem, T. I, p. 283.

LXV. 1832. Wright, W. v. Anteckningar i Zoologi och Jagt, gjorde under en resa till de högre Norden 1832. Ibidem, T. I, p. 293.

LXVI. 1832. Laestadius, L. L. Om Vilda Reuen. Ibidem, T. I, p. 344.

LXVII. 1833. Laestadius, L. L. Ibidem, T. II, p. 547 — 548.

LXVIII. 1833. Zetterstedt, J. W. Resa genom Umeå Lappmarker i Vesterbottens Län, förrättad år 1832. Örebro. 8⁰.

LXIX. 1834. Melchior, H. B. Den Danske Stats och Norges Pattedyr. Kjöbenhavn. 8⁰.

LXX. 1834. Bergenstråle. Upplysningar om Lodjuret. Tidskr. f. Jäg. och Naturforskare. T. III, p. 785.

LXXI. 1834. Burman, Fale. Ibidem, T. III, p. 787.

LXXII. 1834. Bäfver-Jagt. Ibidem, T. III, p. 865.

LXXIII. 1834. Laestadius, L. L. Ibidem, T. III, p. 875.

LXXIV. 1834. Bergenstråle, G. A. Ibidem, T. III, p. 875.

LXXV. 1834. Burman, Fale. Ibidem, T. III, p. 876.

LXXVI. 1834. Laestadius, L. L. Ibidem, T. III, p. 913.

LXXVII. 1834. Borin, J. P. Ibidem, T. III, p. 913.

LXXVIII. 1834. Burman, Fale. Ibidem, T. III, p. 915.

LXXIX. 1834. Laestadius, L. L. Ibidem, T. III, p. 941.

LXXX. 1834. Bergman, E. W. Ibidem, T. III, p. 942.

LXXXI. 1834. Burman, Fale. Ibidem, T. III, p. 945.

LXXXII. 1834. Boström. Ibidem, T. III, p. 946.

LXXXIII. 1834. Littorin, Sv. Ibidem, T. III, p. 946.

LXXXIV. 1834. Bergenstråle. Ibidem, T. III, p. 968.

LXXXV. 1834. Laestadius, L. L. Ibidem, T. III, p. 968 — 969.

LXXXVI. 1834. Burman, T. Ibidem, T. III, p. 969.

LXXXVII. 1835. Делеръ. Свѣдѣнія объ охотѣ въ Архангельской Губерніи. Лѣсной Журналъ. Ч. IV, Кн. 2, Смѣсь, стр. 307—308.

LXXXVIII. **1835.** Litke, Friedrich (Lütke). Viermalige Reise durch das nördliche Eismeer auf der Brigg Nowaja Semlja in den Jahren 1821 bis 1824. Aus dem Russischen übersetzt von A. Erman. Mit einer Karte. Berlin. 8°.

LXXXIX. **1838.** Baer, K. E. v. Expédition à Novaia-Zemlia et en Laponie. Tableau physique des contrées visitées. (Lu le 3 Novembre 1837). Premier article: les bords de la mer Blanche et la Laponie. Bull. sc. T. III, p. 132 et 350.

XC. **1838.** Baer, K. E. v. Anatomische und zoologische Untersuchungen über das Wallross (*Trichechus rosmarus*) und Vergleichung dieses Thiers mit andern See-Säugethieren. Mém. de l'Acad. des sc. de St.-Pétersb. VI Série. T. II (IV), p. 97—236.

XCI. **1838.** Русская Лапландія и Новая-Земля. Путешествіе г. Академика Бэра. Библ. для чтенія. Т. XXIX. Отд. III.

XCII. **1840.** Böhtlingk, Wilhelm. Bericht einer Reise durch Finnland und Lappland. I. Hälfte. Reise von St. Petersburg bis Kola. Bull. sc. de l'Acad. Imp. des sc. de St.-Pétersb. T. VII, p. 107—128. II. Hälfte. Reise längs den Küsten des Eismeeres und Weissen Meeres. Avec 1 carte geogr. Ibid., p. 191—208.

XCIII. **1840.** Martins, Ch. Observations sur les migrations et les moeurs des Lemmings (*Mus Lemmus* L., *Lemmus norwegicus* Ray). Revue zoologique par la Société Cuvierienne, p. 193—206.

*XCIV. **1840.** Martins, Ch. Sur les migrations et les moeurs des *Lemmus norwegicus* Ray. Soc. Philom. Extr. Procés verb., p. 80—82.

*XCV. **1840.** Martins, Ch. Sur les migrations et les

moeurs des *Lemmus norwegicus* Ray. L'Institut,
VIII, № 346, p. 272.

*XCVI. 1841. Martins, Ch. Sur les migrations et les moeurs
des *Lemmus norwegicus* Ray. Froriep's N. Not.
Bd. 18, № 390, p. 246—248.

XCVII. 1841. Hogguer, Major, Freiherr. Reise nach Lappland und dem nördlichen Schweden. Berlin. 4⁰.

XCVIII. 1842. Baer, K. E. v. Nachricht von der Erlegung
eines Eisfuchses, *Canis Lagopus*, an der Südküste
des Finnischen Meerbusens, nicht weit von St. Petersburg, und daran geknüpfte Untersuchung über
die Verbreitung dieser Thierart. Bull. sc. T. IX,
№ 6 et 7, p. 89—107.

XCIX. 1843. Löwenhjelm, C. G. Anteckningar i Zoologi under en resa i Norrland och Luleå Lappmark, som-
maren 1843. Sv. Vet. Ak. Handlingar, p. 385—
412.

C. 1843. Middendorff, A. Th. v. Bericht über die orni-
thologischen Ergebnisse der naturhistorischen (mit
Herrn v. Baer angestellten) Reise in Lappland,
während des Sommers 1840, mit einem Nachtrage
von v. Baer. Beitr. zur Kenntniss des Russischen
Reichs etc. Bd. VIII, p. 186 und 259. Separat-
abdr., p. 1—84.

CI. 1843. Рейнеке, М., Кап.-Лейт. Гидрографическое
Описаніе Сѣвернаго Берега Россіи. Ч. II. Лапланд-
скій берегъ. С.-Петербургъ. 4⁰.

CII. 1844. Fellman, Jac. Anteckningar under min vi-
sitelse i Lappmarken. Första och Andra Året.
Borgo. 8⁰.

CIII. 1844. Liljeborg, Wilhelmus. Observationes zoologi-
cae. Lund. 8⁰.

CIV. 1845. Malm, A. W. Ornithologischer Beitrag zur
scandinavischen Fauna, gesammelt in dem nördlichen Skandinavien vom 24. Jan. 1841 bis zum 26.
Juli 1842. Hornschuch, Chr. Friedr., Archiv skand.
Beiträge zur Naturgeschichte. Bd. I, p. 272—298.

Greifswald. 8°. — Uebersetzung von „Ornithologiska bidrag till Skandinavisk fauna, samlade i det Nordligaste Skandinavien från den 24 Jan. 1841 till den 26. Juli 1842. Kröyer H., Naturhistorisk Tidskrift. Ny Raekke. 1. Bindet. 2. et 3. Häfte. Kjöbenhavn. 1844, p. 180.

CV. 1845. Middendorff, A. Th. v. Bericht über einen Abstecher durch das Innere von Lappland, während der Sommer-Expedition im Jahre 1840. Beitr. z. Kenntn. d. Russ. Reichs. Bd. XI, pp. 139—183.

CVI. 1845. Пушкаревъ, Ив. Описаніе Россійской Имперіи въ историческомъ, географическомъ и статистическомъ отношеніяхъ. Томъ I, кн. 2. Архангельская Губернія. С.-Петербургъ. 8°.

CVII. 1845. Географическо-Статистическое обозрѣніе Архангельской губерніи. Архангельскія Губернскія Вѣдомости, стр. 328—330.

CVIII. 1847. Богуславъ, I. Взглядъ на Бѣломорскіе звѣриные промыслы. Труды Имп. Вольно-Эконом. Общества. Ч. I, стр. 1—19.

CIX. 1847. Nilsson, S. Skandinavisk Fauna. Första delen. Däggdjuren. Andra omarbetade upplagan. Lund. 8°.

CX. 1849. Schrenck, Leopold v. Ueber die Luchsarten des Nordens und ihre geographische Verbreitung. Dorpat. 8°.

CXI. 1849. Stuckenberg, J. Ch. Hydrographie des Russischen Reiches. Sechster und letzter Band. St. Petersburg. 8°.

CXII. 1849. Верещагинъ, В. Очерки Архангельской Губерніи. С.-Петербургъ. 8°.

CXIII. 1849. Лопари, Карелы и Поморцы Архангельской губерніи. Сѣверное Обозрѣніе. Т. I, стр. 149—179.

CXIV. 1850. Wegelin, C. H., und Sundevall, C. Ueber *Myodes schisticolor*. Hornschuch's Arch. skand. Beiträge zur Naturgeschichte. Bd. II, p. 327—328. Greifswald. 8°.

CXV. 1850. Рейнеке, М., Кап.-Лейт. Гидрографическое

описаніе Сѣвернаго Берега Россіи. Ч. I. Бѣлое Море. С.-Петербургъ. 4°.

CXVI. 1850. Lilljeborg, Wilh. Bidrag till Norra Rysslands' och Norriges fauna, samlade under en vetenskaplig resa i dessa länder 1848. Kgl. Vet. Ak. Handlingar. 1850. II, p. 235—341.

CXVII. 1851. Malm, A. W. En Vinter och Tvenne Sommar bland Fjellen eller Resa i Skandinaviens ' Nordligaste Lapp- och Finnmarker. Göteborg. 8°.

1851—1853. Middendorff. Siehe № CXXI.

CXVIII. 1852. Malm, A. W. Zur Naturgeschichte des Lemmings. Froriep's Tagsberichte über die Fortschritte der Natur- und Heilkunde. № 479, p. 286—288.

CXIX. 1852. Взглядъ на промыслы, производимые посредствомъ огнестрѣльнаго оружія, въ Архангельской губерніи. Сынъ Отечества. 1852. Ч. VI, смѣсь, стр. 7—22.

CXX. 1852. Ehrström, C. R. Djurvandringar i Lappmarken och norra delen af Finland åren 1839 och 1840. Notiser ur Sällskapets pro Fauna et Flora fennica Förhandlingar, p. 1. Helsingfors.

CXXI. 1851 — 1853. Middendorff, Dr. A. Th. v. Reise in den äussersten Norden und Osten Sibiriens. Zoologie. I. Wirbelthiere. 1. Lieferung. St. Petersburg. 4°.

CXXII. 1853. Pässler, Pastor W. Schrader's Beobachtungen über die Vögel Lapplands. Cab. Jour. f. Orn. Bd. I; p. 240—260, 305—326.

1853—1855. Nordmann. Siehe № CXXV.

CXXIII. 1854. Brandt, J. Fr. Bemerkungen über die Wirbelthiere des nördlichen europäischen Russlands, besonders des nördlichen Urals. 4°.

CXXIV. 1854. Lloyd, L. Scandinavian Adventures during a residence of upwards of twenty years. Two Volumes. Second Edition. London. 8°.

CXXV. 1853—1855. Nordmann, v. Några sällsyntara finska högre djurarter, tillhörande Universitets zoologiska samlingar. Öfv. af Finsk. Vet. Soc. Förh. Bd. II, p. 70—71.

CXXVI. **1856. Поромовъ,** Иванъ. Описаніе Кольскаго уѣзда. (Изъ свѣдѣній Арх. Губ. Стат. Ком. и опис. губ. Г-на Пушкарева.)Архангельскія Губ. Вѣд., стр. 332—333, 339—341, 347—349, 355— 357, 363—365, 372—373, 379—382, 387—388, 397—398, 403—404, 412— 413.

CXXVII. **1857. Wolley,** J. Bemaerkninger om Svaerme af for- skjellige Arter af Slaegten *Lemmus* Lin. i Aaret 1853 i det nordlige Lapland, og om de Rovdyr, som forfölge dem. Förhandlinger ved de Skandi- naviske Naturforskeres Syvende Möde i Christia- nia den 12—18 Juli 1856, p. 216—224.

CXXVIII. **1857—1858. Богуславъ,** О. (Бѣломорскій). Мор- ское звѣроловство на сѣверныхъ берегахъ Евро- пейской Россіи. Архангельскія Губ. Вѣд. Г.1857, № 40, стр. 361—364; № 49, стр. 432—434; № 52, стр. 457—460. Г. 1858, № 1, стр. 4—7; № 3, стр. 19—20; № 4, стр. 28—30.

CXXIX. **1859. Максимовъ,** С. Годъ на Сѣверѣ. Т. I. С.-Пе- тербургъ. 8°.

CXXX. **1861. Brehm,** Dr. A. E. Landschaftsbilder zu der Heimathskunde der Vögel. Lapplands Moräste. Cab. Journ. f. Orn. Bd. X, p. 291—305.

CXXXI. **1861—1862. Соловцовъ,** К. Очерки Архангель- ской Губерніи. Архангельскія Губ. Вѣд. Г.1861, стр. 252—255, 275—278, 285—287, 292— 295, 312—314, 326—329, 340—343, 392— 393; г. 1862, стр. 76—80, 109—113, 120—122.

CXXXII. **1862. Прушакевичъ,** И. Единоборство съ Медвѣди- цей. Архангельскія Губ. Вѣд., стр. 179—181.

CXXXIII. **1862. Nordvi,** A. G. Bemaerkninger ved den af Provst Chr. Sommerfelt indsendte Förtegnelse over i Ostfinmarken iagttagne' Fugle. Öfv. af Kongl. Vetensk.-Akad. Förhandlingar. XIX, p. 301—305.

2*

CXXXIV. 1862. (Данилевскій). Изслѣдованія о состояніи рыболовства въ Россіи. Изданіе Министерства Государственныхъ Имуществъ. Т. VI. С.-Петербургъ. 4⁰.

CXXXV. 1863. Архангельскій Сборникъ. Т. I. 8⁰.

CXXXVI. 1863. Guyon, M. Note sur le Lemming de Norvège. Revue et Magazin de Zoologie. XV, p. 340—344.

CXXXVII. 1863. Guyon, M. Note sur le Lemming de Norvège. Comptes rendus. LVII, p. 486—489.

*CXXXVIII. 1863. Guyon, M. Note on the Lemming (*Lemmus norwegicus* Desm.). Annals and Magazin of Natural History. Third series. Vol. XII. London. 1863. 8⁰.

1864—1867. Brehm. Siehe № CXLIV.

CXXXIX. 1864. Malmgren, A. J. Beobachtungen und Anzeichnungen über die Säugethierfauna Finnmarkens und Spitzbergens. Wiegmann's Archiv. 1864, p. 63. Aus: Öfv. af Kgl. Vet. Ak. Förh. 1863. II, p. 127—155.

CXL. 1865. Пошманъ, Антонъ фонъ. Архангельская губернія въ хозяйственномъ, коммерческомъ, философическомъ, историческомъ, топографическомъ, статистическомъ, физическомъ и нравственномъ обозрѣніи, съ полезными на всѣ оныя части замѣчаніями. Составлено въ 1802 году. Томъ I. Прилож. къ Арханг. Губ. Вѣд.

CXLI. 1865. Козловъ, Н. Матеріалы для Географіи и Статистики Россіи, собранные офицерами Генеральнаго Штаба. Архангельская губернія. С.-Петербургъ. 8⁰.

CXLII. 1865. Архангельскій Сборникъ. Т. II. 8⁰.

CXLIII. 1866. Lilljeborg, W. Synopsis of the Cetaceous Mammalia of Scandinavia (Sweden and Norway). Flower, W. H., Recent Memoirs on the Cetacea. London. 4⁰.

CXLIV. **1864 — 1867.** Brehm, A. E. Illustrirtes Thierleben. Bd. I, II. 1. Auflage. Hildburghau-
sen. 8⁰.

CXLV. **1868.** Терентьевъ, Георгій, Свящ. Изъ Лапландіи.
Арханг. Губ. Вѣд. № 50.

CXLVI. **1868.** Rasch, H. Bidrag til Norges Rovdyr- og
Rovfugle-Statistik for Femaaret 1861 — 65.
Förh. i Videnskab.-Selsk. i Christ., p. 12.

CXLVII. **1868.** Михайловъ, А. Очерки природы и быта Бѣло-
морскаго края Россіи. Охота въ лѣсахъ Архангельской губерніи. С.-Петербургъ. 8⁰.

CXLVIII. **1869.** Bowden, J. Rev. The Naturalist in Norway,
or notes on the wild animals, birds, fishes and
plants of that country, with some account of the
principial salmon Rivers. London. 8⁰.

CXLIX. **1869.** Дергачевъ, Н. Статистическій очеркъ Лапландіи. Архангельск. Губ. Вѣд. № 87.

CL. **1869.** Дергачевъ, Н. Географія Лопской земли.
Очеркъ II. Царство животное. Архангельск.
Губ. Вѣд. № 103, 104.

CLI. **1871.** Wheelwright (an old Bushman). A Spring
and Summer in Lapland. London. 8⁰.

CLII. **1871.** Friis, J. A. Prof. En Sommer i Finmarken,
Russisk Lapland og Nordkarelen. Skildringer of
Land og Folk. Christiania. 8⁰.

CLIII. **1872.** Sädbom, C. A. F. Om *Myodes schisticolor*
Lilljeb. Öfv. af Kongl. Vet.-Akad. Förhandl.
1872. № 4, p. 31—32; № 8, p. 41—42.

CLIV. **1873.** Schultz, Alexandre. Notice sur les pêcheries
et la chasse aux phoques dans la mer Blanche,
l'océan Glacial et la mer Caspienne. St. Péters-
bourg. 8⁰.

CLV. **1873.** Leche, Wilhelm. Einiges über den Waldlemming (*Myodes schisticolor* Lilljeb.). Der Zoologische Garten. Jahrg. XIV, p. 64—66.

CLVI. **1873.** Аржинскій, Ѳ. Факты и индукціи въ пользу
теоріи Ловена. Читано въ Геологическомъ Отдѣле-

ніи С.-Петербургскаго Общества Естествоиспыта-
телей (въ февралѣ 1872 г.) по поводу возраже-
ній академика Ф. Б. Шмидта. Separat-Abdruck.

CLVII. 1873 — 1874. Mäklin, Fr. W. Några anmärknin-
gar beträffende Finlands fauna. Öfv. af Finska
Vet. Societ. Förh. XVI, p. 74—85.

CLVIII. 1874. Lilljeborg, W. Sveriges och Norges Ryggradsdjur. I. Däggdjuren. Upsala. 8°.

CLIX. 1874. Aubel, Hermann u. Karl. Ein Polarsommer,
Reise nach Lappland und Kanin. Leipzig. 8°.

CLX. 1875. Van-Beneden, P. J. Notice sur la grande Ba-
lénoptère du Nord.(*Balaenoptera Sibbaldii*) d'a-
prés les notes tirées du Journal du docteur Otto
Finsch, de Brême. Bull. de l'Acad. des sc. etc.
de Belgique. T. XXXIX, p. 853—870. Pl. I.

CLXI. 1875. Охота и Озерная рыбная ловля на Кольскомъ
полуостровѣ. Архангельск. Губ. Вѣд. № 24.

CLXII. 1875. Middendorff, Dr. A. Th. v. Reise in den
äussersten Norden und Osten Sibiriens. Band IV.
Uebersicht der Natur Nord- und Ost-Sibiriens.
Theil 2. Die Thierwelt Sibiriens. Die Eingeborenen Sibiriens. Bearbeitet von A. v. Middendorff. St. Petersburg. 4°.

CLXIII. 1875. Немировичъ-Данченко. У Океана, жизнь на
крайнемъ сѣверѣ. С.-Петербургъ. 8°.

CLXIV. 1875. Collett, Robert. Norvège. Carte zoogéographique, contenant une liste complète de tous les
animaux vertébrés de Norvège. Christiania. Fol.

CLXV. 1876. Немировичъ-Данченко. Лапландія и Лап-
ландцы. С.-Петербургъ. 8°.

CLXVI. 1877. Немировичъ-Данченко. Страна холода. 8°.

CLXVII. 1877. Дергачевъ, Н. Русская Лапландія. Статистическій, географическій и этнографическій
очерки. Архангельскъ. 8°.

CLXVIII. 1877. Тюленьи промыслы въ Бѣломъ морѣ въ 1877
году. Архангельс. Губ. Вѣд. № 66.

CLXIX. 1877. Кольскій полуостровъ. Лѣсная охота. Журналъ Охоты. № 5. Томъ VI, стр. 67 — 68.

CLXX. 1877. Collett, Robert. Bemaerkningar til Norges Pattedyrfauna. Nyt Magazin for Naturvidenskaberne. Vol. 22. 2. Ser. 2. Bd., p. 54 — 168.

CLXXI. 1878. Отчетъ о дѣйствіяхъ и занятіяхъ Архангельскаго губернскаго Статистическаго Комитета за 1876 годъ, составленный и. д. Секретаря В. В. Михайловымъ. Архангельскъ. 4°.

CLXXII. 1878. Crotsch, W. Duppa. On the Migration and Habits of the Norwegian Lemming. The Journal of the Linnean Society. Vol. XIII, p. 27 — 34.

CLXXIII. 1878. Crotsch, W. Duppa. Additional Note relative to the Norwegian Lemming. Ibidem. Vol. XIII, p. 83.

CLXXIV. 1878. Crotsch, W. Duppa. Further Remarks on the Lemming. Ibidem. Vol. XIII, p. 157 — 160. (Plate XIII).

*CLXXV. 1878. Crotsch, W. Duppa. Nature. XIV, p. 113.

CLXXVI. 1878. Collett, Robert. On *Myodes Lemmus* in Norway (communicated by Dr. J. Murie). The Journal of the Linnean Society. Vol. XIII, p. 327 — 335.

CLXXVII. 1878. Sars, G. O. Bidrag til en nöiere Charakteristik af vore Bardehvaler. Förh. i Vidensk. Selsk. i Christiana. № 15.

CLXXVIII. 1879. Nehring, Dr. Alfred. Die geographische Verbreitung der Lemminge in Europa jetzt und ehemals. Gaea. J. XV, p. 663 — 671, 712 — 726.

CLXXIX. 1880. Malm, Dr. A. H. Gothenburgs Naturhistorisches Museum. Zool.-zoot. Abtheilung. H. Catalog über Doubletten. 8°.

CLXXX. 1880. Корреспонденція изъ Колы. Архангельск. Губ. Вѣд. № 52.

CLXXXI. 1880. Поморъ Мурманскаго Россійскаго берега (Шабунинъ). Заявленіе изъ Поморья на мнѣнія дѣятелей Сѣвера о вліяніи китоваго промысла на рыболовство въ водахъ Мурманскаго побережья. Архангельск. Губ. Вѣд. № 30.

CLXXXII. 1880. Sars, G. O. Fortsatte Bidrag til Kundskaben om vore Bardehvaler. „Finhvalen“ og „Knölhvalen“. Pl. I, II. III. Förhandl. i Vidensk. Selsk. i Christiania. № 12.

CLXXXIII. Fellman, Jakob. Bidrag till Lappmarkens Fauna. 8°.

CLXXXIV. 1882. Cocks, Alfred Heneage. The Beaver in Scandinavia. Zoologist, p. 16.

Nachzutragen sind:

CLXXXV. 1851. Schmidt, Ed. Osk. Bilder aus dem Norden. Gesammelt auf einer Reise nach dem Nordcap im Jahre 1850. Jena.

CLXXXVI. 1860. Ziegler, Alexander. Meine Reisen im Norden. Band II. Leipzig.

Ordo I. CHIROPTERA.

Genus I. VESPERUGO Keyserl. u. Blas.

1. Vesperugo borealis Nilss.

(*V. Nilssonii* K. u. Bl. — *V. Kuhlii* Nilss.)

1. 1843. *Летучія мыши.* Рейнеке (CI), p. 49.
2. 1874. *Vesperugo borealis* Nilss. Lilljeborg (CLVIII), p. 1060, n. 17.
3. 1875. — *borealis* Nilss. Collett (CLXIV), Carte zoogéogr.
4. 1877. — *borealis* Nilss. Collett (CLXX), Nyt Mag. for Naturv. Vol. 22, p. 55, n. 4.
5. 1877. *Vespertilio murinus* apud Fellman (CLXXIII), p. 213, n. 1.

Benennungen: Lappländisch *Hessen* (nach Fellman).

Vesperugo borealis Nilss. ist die einzige Fledermaus,
die so weit nach Norden geht. Doch kommt sie in unserem Gebiete nur zufällig vor und ist daher auch von mir
nicht beobachtet worden. Jedenfalls muss sie im westlichen Theile des russischen Laplands häufiger vorkommen,
da im östlichen, z. B. in der Umgegend des Imandra-
Sees, selbst die Bevölkerung keine Fledermäuse kennt.
Die einzige Nachricht, in welcher ihres Vorkommens im
östlichen Theile des russischen Laplands erwähnt wird,
befindet sich bei Reinecke (1) und ist daher nur mit

grosser Vorsicht aufzunehmen. Zwar finden wir bei Reinecke
einen Ausspruch, nach welchem anzunehmen ist, dass er
nur Thiere anführt, die er selbst gesehen hat, doch ist die
Sache immer noch bedenklich, da kein anderer Besucher
Laplands des Vorkommens von Fledermäusen erwähnt. Zu-
verlässiger sind die Angaben Fellman's (5), doch irrt er
darin, dass er die lapländische Fledermaus für *Vespertilio
murinus* hält, was nicht recht möglich ist. Nach Fellman kommt die Fledermaus südlich vom Landrücken in
Sodankylä und Kuusamo nicht selten vor; nördlich von
demselben ist sie während seines Aufenthalts in Lapland,
im Ivalo-Thale in Enare gefangen worden. Dem Namen
nach ist sie in Utsjoki wohl bekannt, doch fand sich Nie-
.maud, der das Thier gesehen hätte, und es wurde nur
vermuthet, dass es dort vorkomme, oder wenigstens früher
vorgekommen sei. Auf seiner zoogeographischen Karte Norwegens weist Collett (3) ihr den Landstrich zwischen dem
58 — 67° als Wohnsitz an, bemerkt aber dabei, dass sie
sich im Herbste zuweilen nach Finmarken bis zum 70°
verfliege. In seiner späteren, genaueren Arbeit über die
Säugethiere Norwegens führt er Daten an, die ihm Herr
Nordvi aus Mortensnaess hat zukommen lassen. Laut
diesen Angaben, die auch schon Lilljeborg (2) anführt,
sind ein paar Fledermäuse, die wahrscheinlich dieser Art
angehört haben, im August 1866 bei Polmak in Ost-
Finmarken unter dem 70° gefunden worden, nachdem
die dunklen Nächte eingetreten waren. Ausserdem wurde
ein Exemplar in Enare, im russischen Lapland gefangen.
Obgleich es auf Grund der angeführten Fundorte unmöglich ist, das genauere Verbreitungsgebiet der nordischen
Fledermaus auf der lapländischen Halbinsel anzugeben, sowie ihr **Verbreitungsgebiet durch das Vorhandensein** eines

speciellen Pflanzengürtels zu motiviren, welcher ihr als Aufenthaltsort dient, so kann man doch die Meinung aussprechen, dass sie nicht über die Grenze der Verbreitung des Waldes hinausgeht. Ob sie sich aber auf den Nadelwald beschränkt, oder auch in die *Regio subalpina* dringt, lässt sich zur Zeit nicht mit Gewissheit angeben. Auf der Tundra ist sie gewiss nicht anzutreffen.

Ordo II. INSECTIVORA.

Genus I. SOREX L.

2. Sorex vulgaris L.

(*S. araneus* L. nec *S. araneus* Schreb.)

1. 1767. *Sorex araneus.* Gunner apud Leem (XX), p. 228 (80).
2. 1775. — *araneus.* Hammer (XXIII), p. 11, n. 35.
3. 1832. — *araneus.* Wright (LXV). Tidskr. för Jäg. och. Naturf. T. I, p. 298.
4. 1834. — *araneus.* Melchior (LXIX), p. 69.
5. 1847. — *vulgaris* L. Nilsson (CIX), p. 79.
6. 1854. . — *vulgaris* L. Brandt (CXXIII), p. 7.
7. 1864. — *vulgaris* L. Malmgren (CXXXIX). Wiegm. Archiv, p. 64.
8. 1874. — *vulgaris* L. Lilljeborg (CLVIII), p. 224—225.
9. 1875. — *araneus* L. Collett (CLXIV), Carte zoogéogr.
10. 1877. — *araneus* L. Collett (CLXX). Nyt. Mag. för Naturv. Vol. 22, p. 60, n. 10.
11. 1877. — *araneus* L. Fellman (CLXXXIII), p. 246, n. 21.

Benennungen: Im russischen Lapland *Gnus* (nach eigenen Erkundigungen); bei den scandinavischen Lapländern *Ziebak* nach Gunner, Nilsson und Melchior, *Siebak* nach Fellman, *Vandes* nach Gunner und Fellman, und *Sviddek* nach Fellman.

Von den drei, im russischen Laplande vorkommenden Spitzmaus-Arten, haben wir während unseres Aufenthaltes

daselbst von zwei Arten Exemplare erhalten können. Von
Sorex vulgaris L. erlangte W. W. Lawrow am 21. August
1880 zwei Exemplare in der Umgegend von Kandalakscha; während meiner Reise durch Lapland habe ich
keine weiteren erhalten können. Von den skandinavischen
Naturforschern erwähnen deren Vorkommen in den nördlichsten Theilen des Landes Gunner (1), Hammer (2),
Melchior (4), Nilsson (5), Malmgren (7), Lilljeborg
(8) und Collett (9 u. 10). Alle sind darin einig, dass die
gewöhnliche Spitzmaus bis in den äussersten Norden Norwegens vorkommt, die Umgegenden des Nordcap's, den
Varanger-Fjord und die benachbarten Inseln nicht aus-
genommen. Auf der Insel Renoe in der Nähe von Wardoe fand sie Malmgren (7) im Jahre 1861 in bedeutender Menge und Wright (3) in der Gegend von Karesuando im Jahre 1832. Durch Collett (10) erfahren wir
ferner, dass diese Spitzmaus bis an die Grenze des ewigen
Schnees hinaufsteigt, und dieses Factum, in Gemeinschaft
mit ihrer horizontalen Verbreitung, giebt uns das unbe-
dingte Recht die Meinung auszusprechen, dass diese Spitzmaus die Kola-Halbinsel ihrer ganzen Ausdehnung nach
bewohnt. Sehr interessant sind die Beobachtungen Collett's, laut welchen in den Jahren, wenn die Lemmingswanderungen stattfinden, auch die Spitzmäuse in ungewöhnlich grosser Anzahl auftreten.

3. Sorex pygmaeus Pall.

1. 1847. *Sorex pygmaeus* Pall. Nilsson (CIX), p. 84.
2. 1875. — *minutus* L. Collett (CLXIV), Carte zoogéogr.
3. 1877. — *minutus* L. Collett (CLXX). Nyt Mag. f. Naturv. Vol. 22,
p. 61, n. 11.

Ein sehr schönes ausgewachsenes Exemplar dieser
Spitzmaus erhielt ich von der Solowaraka in der Umge-

gend von Kola am 21. August 1880. Es würde dort im Birkengestrüpp (*Betula glutinosa* Wahlb.) gefunden. Nach den Angaben der skandinavischen Forscher Nilsson (1) und Collett (2 u. 3) bewohnt die Zwergspitzmaus in Skandinavien genau dieselben Gegenden, wie die gewöhnliche Spitzmaus, ist aber überall seltener. Hieraus ergiebt sich auch deren wahrscheinliche Verbreitung über die ganze Kola-Halbinsel. Dass sie noch nördlicher als Kola geht; beweisen ausser den Funden am Nordcap, noch eine Anzahl von Exemplaren aus der Gegend von Mortensnaess am Varanger-Fjord, die Hr. Nordvi gesammelt und Collett übergeben hat.

Genus 2. CROSSOPUS Wagler.

4. Crossopus fodiens Pall.

1. 1847. *Sorex fodiens.* Nilsson (CIX), p. 90.
2. 1874. *Crossopus fodiens* Pall. Lilljeborg (CLVIII), p. 234.
3. 1875. — *fodiens* Schreb. Collett (CLXIV), Carte zoogéogr.
4. 1877. — *fodiens* Schreb. Collett (CLXX). Nyt Mag. f. Naturv. Vol. 22, p. 59, n. 9.

Die Wasserspitzmaus habe ich während meines Aufenthaltes in Lapland nicht gefunden und muss mich daher wegen ihres Vorkommens auf Muthmassungen beschränken. Nilsson (1) hat durch Laestadius Nachrichten über ihr Vorkommen bei Karesuando erhalten; Lilljeborg (2) glaubt, dass sie wohl bis Ost-Finmarken vordringt, und Collett (3 u. 4) bekräftigt diese Vermuthung durch Exemplare aus Karasjok und vom Varanger-Fjord (Nordvi). In vertikaler Richtung soll sie bis in die Birkenregion steigen. Bei Abhandlung der Verbreitung der Wasserspitzmaus auf der Kola-Halbinsel ist unbedingt in

Betracht zu nehmen, ob dieselbe als Wasserthier. sich mit Seen und Flüssen begnügt, oder auch am Meeresstrande ihr Wesen treibt. Die erstere Ansicht ist wohl die richtigere, da die Ufer der Murman-Küste nicht den Anforderungen einer Spitzmaus genügen können. Ihrer verticalen Verbreitung nach ist anzunehmen, dass sie auf der Kola-Halbinsel das Eismeer nicht erreicht, da sie auf der Tundra nicht vorkommt und ihr sehr nördliches Vorkommen im benachbarten Finmarken dadurch erklärt werden muss, dass die Birkenregion in Folge der Einwirkung des Golfstromes daselbst viel nördlicher hinauf geht.

Ordo III. GLIRES.

Genus I. MUS L.

Mus Rattus L.

1. 1767. *Mus Rattus*. Gunner apud Leem (XX), p. 228 (80).
2. 1875. *Hausratte*. Middendorff (CLXII), p. 890.

Die einzige genauere Angabe über das Vorkommen der Hausratte in Ost-Finmarken finden wir bei Gunner (1). Dieser hat nämlich im Jahre 1759 am Tana-Flusse Hausratten erhalten, die aus einer benachbarten Lappländer-Hütte stammen sollten. Bei genauerer Untersuchung der Exemplare erwies es sich, dass dieselben nicht *Arvicola amphibius*, sondern *Mus Rattus* angehörten. Diese Angabe ist für mich durchaus nicht überzeugend, und da die neueren Forscher das Thier nicht wieder gefunden haben, so ist es wohl gewiss, dass es jetzt in unserem Gebiete nicht vorkommt; daher führe ich es hier auch ohne Nummer an. Middendorff (2) berichtet, dass während die Hafenstädte Finlands von Wanderratten besetzt sind, im Innern des Landes noch Hausratten sich finden. Ob diese Angabe auch auf den südlichen Theil unseres Gebietes sich erstreckt und ob sie richtig ist, vermag ich nicht anzugeben.

5. Mus decumanus Pall.

1. 1834. *Mus decumanus* Pall. Melchior (LXIX), p. 91.
2. 1874. — *decumanus* Pall. Lilljeborg (CLVIII), p. 261.
3. 1875. *Die Wanderratte.* Middendorff (CLXII), p. 890.
4. 1875. *Mus decumanus* Pall. Collett (CLXIV), Carte zoogéogr.
5. 1877. — *decumanus* Pall. Collett (CLXX). Nyt Mag. f. Naturv. Vol. 22, p. 63, n. 13.

Die Verbreitung der Wanderratte auf der Kola-Halbinsel ist sehr localen Charakters und hängt von der Lage der Städte am Meere ab. In West-Finmarken kommt sie in allen Handelsplätzen ständig vor, in Ost-Finmarken hingegen nur zeitweise und ohne sich daselbst halten zu können. So berichtet Nordvi (Collett [5]), dass bei Wardoc Wanderratten gefangen worden seien, die dort jedoch nicht immer vorkommen. In Kola sollen sie bis zum Krimkriege häufig gewesen, darauf aber verschwunden sein. Ob dieses Verschwinden durch dieselben Ursachen bedingt ist, die ihr auch das Verbleiben in Ost-Finmarken unmöglich machen, oder ob die Meinung der Einwohner von Kola richtig ist, dass die durch das Bombardement von Kola verursachte Feuersbrunst ihr den Untergang bereitet habe, wage ich nicht zu entscheiden. In Torneå hat sie v. Middendorff (3) gefunden.

6. Mus musculus L.

1. 1767. *Mus musculus.* Gunner apud Leem (XX), p. 228 (80).
2. 1772. — *musculus.* Lagus (XXII). Kgl. Vet. Ak. Handl. Bd. XXXIII, p. 355.

3. 1800. *Mus musculus.* Georgi (XXXI), p. 1561, n. 5.
4. 1843. *Hausmaus.* ;Middendorff (C). Beiträge z. Kenntn. d. Russ. Reichs. Bd. VIII, p. 35.
5. 1847. *Mus musculus* L. Nilsson (CIX), p. 854.
6. 1874. — *musculus* L. Lilljeborg (CLVIII), p. 271.
7. 1875. — *musculus* L. Collett (CLXIV), Carte zoogéogr.
8. 1877. — *musculus* L. Collett (CLXX). Nyt Mag. f. Naturv. Vol. 22, p. 65, n. 15.
9. 1877. — *musculus.* Fellman (CLXXXIII), p. 261, n. 27.

Benennungen: Russisch *Mysch* (мышь); Lapl. *Saplyg*; im schwed. Lapl. *Saupan* (Fellman).

Da' die Hausmaus sich vollständig dem Menschen als Parasit beigesellt hat und durch seine Vorkehrungen von allen ungünstigen Einflüssen verschont bleibt, so ist sie auch in ihrer Verbreitung an keine Zone gebunden, sondern geht so weit nach Norden, als ständige menschliche Wohnungen vorhanden sind. Gunner (1), Nilsson (5) und Collett (7 u. 8) liefern auch dem entsprechende Angaben, während Lilljeborg (5) glaubt, dass die Hausmaus in den nördlichsten Lapmarken nicht vorkomme. Derselben Ansicht ist auch Middendorff (4) (wenigstens im Jahre 1843), indem er behauptet, dass die Hausmaus in Lapland ganz fehle und sogar im südlichsten Theile unseres Gebietes, in Kandalakscha nicht vorkomme. Schon Georgi (3) giebt im Jahre 1800 an, dass die Hausmaus in Kola unter dem 69° vorkommt. Nach meinen eigenen Erfahrungen ist sie in Kandalakscha und Kola eine sehr gewöhnliche, ständige Erscheinung. An beiden Orten sind auch Exemplare für unsere Sammlungen erbeutet worden: in Kola ein paar durch die Güte des Postmeisters Sacharow und in Kandalakscha ein Exemplar durch W. W. Lawrow. Schwieriger ist die Frage zu beantworten, ob die Hausmaus im Innern des Landes vorkommt, dort wo die Lappländer nur

·im Winter in Häusern, im Sommer aber in Rasenzelten leben. Bei diesen Zelten habe ich wohl zahlreiche Individuen verschiedener *Arvicola*-Arten angetroffen, niemals aber eine Hausmaus, und glaube daher, dass die Hausmäuse sich vielleicht in den Wintergebäuden der Lapländer aufhalten, sonst aber nicht vorkommen. In den besser angesiedelten und mit ständigen Dörfern besetzten finnischen und schwedischen Lapmarken kommt die Hausmaus wohl überall vor, was auch durch die Angaben von Lagus (2) aus Kuusamo bestätigt wird. Collett (8) erwähnt sogar Albinos, die in den Städten Wardoe und Wadsoe gefunden worden sind; Fellman (9) sagt hingegen, dass solche in den Lapmarken selten sind.

Mus sylvaticus L.

1. 1767. *Mus sylvaticus.* Gunner apud Leem (XX), p. 223 u. 228.
2. 1772. — *sylvaticus.* Lagus (XXII). Sv. Vet. Ak. Handl. Bd. XXXIII, p. 355.
3. 1832. — *sylvaticus.* Wright (LXV). Tidskr. f. Jäg. och Naturf. Bd. I, p. 298.
4. 1877. — *sylvaticus* L. Collett (CLXX). Nyt. Mag. f. Naturf. Bd. 22, p. 64, n. 14.

Nach Gunner (1 u. 4) soll in Finmarken die Waldmaus gefunden worden sein, und Wright (3) vermuthet, dass sie bei Karesuando vorkomme. Da jedoch keine dieser Angaben vollkommen sicher ist und die zweite nur in Form einer Vermuthung ausgedrückt ist, so muss für den Augenblick angenommen werden, dass die Waldmaus in unserem Gebiete nicht vorkommt. Wahrscheinlicher ist die Angabe von Lagus (2), laut welcher die Waldmaus in Kuusamo vorkommen soll, doch ist die betreffende Gegend schon kaum in unser Gebiet zu rechnen.

Genus 2. HYPUDAEUS Illig.

7. Hypudaeus amphibius L.

1. 1800. *Mus amphibius.* Georgi (XXXI), p. 1564, n. 11.
2. 1832. *Lemmus amphibius.* Wright, W. v. (LXV). Tidskr. f. Jäg. och
    Naturforsk. Bd. I, p. 298.
3. 1840. — *amphibius.* Martins (XCIII). Rev. zool. de la Soc. Cuv.,
    p. 198.
4. 1852. — *amphibius* Nilss. Ehrström (CXX). Not. ur Sällsk. pro
    Fl. och Faun. fenn. Förh., p. 1.
5. 1857. — *amphibius.* Wolley (CXXVII). Förh. Skand. Nat. Syv.
    Möde, p. 218.
6. 1874. *Arvicola amphibius* L. Lilljeborg (CLVIII), p. 298.
7. 1875. — *amphibius* L. Collett (CLXIV), Carte zoogéogr.
8. 1877. — *amphibius* L. Collett (CLXX). Nyt Mag. f. Naturv.
    Bd. 22, p. 67, n. 19.
9. 1877. *Mus amphibius* L. Fellman (CLXXXIII), p. 260, n. 26.

Benennungen: Im russischen Laplande *Krot* (крота) (bei
den russischen Einwohnern); *Tschads-koitkis* (bei der
lapländ. Bevölkerung, nach eigenen Erkundigungen).
Im finnisch-schwedischen Laplande, nach Fellman, *Shatse koaska.*

Die Wasserratte ist fast über unser ganzes Gebiet verbreitet und fehlt nur im äussersten Norden, wo die baumlose Tundra auftritt. In den südlicheren Theilen ist sie
von Fellman (9), Ehrström (4) und Lawrow gefunden
worden. Die beiden ersten führen dieselbe für Torneå und
die angrenzenden Theile des finnischen Laplands an,
während Lawrow drei Exemplare und zwar am 28. Juli,
2. und 7. August in Kandalakscha erhalten hat. Etwas
nördlicher, bei der Station Saschejek am Imandra, erhielt ich am 15. Juli ein ausgewachsenes Exemplar. Weiter
nach Norden habe ich sie jedoch nicht beobachtet, ob-

gleich sie bedeutend nördlicher vorkommt. So hat Wolley (5) dieselbe bei Muonioniska, Wright (2) und Martins (3) bei Karesuando gefunden, letzterer sogar am Neste. Für Kola führt sie Georgi (1) an, und nach Collett (8) hat sie Nordvi mehrmals am Varanger-Fjorde gefunden, obgleich sie daselbst schon seltener sein soll. Ihre Verbreitung in vertikaler Richtung, welche laut Collett (8) sich bis in die Birkenregion erstrecken soll, bestätigt ebenfalls die Ansicht über ihre Verbreitung durch das ganze Gebiet mit Ausnahme des Tundra-Streifens. In gewissen Jahren, wenn die Lemminge ihre Wanderungen unternehmen, treten auch die Wasserratten in ungewöhnlich grosser Anzahl auf. Diese Thatsache ist durch die Beobachtungen von Ehrström (4) im Jahre 1839—40, Wolley (5) im Jahre 1853 und die neuesten von Collett (8) zur Genüge festgestellt.

Genus 3. ARVICOLA Lacépède.

8. Arvicola oeconomus Pall:

(*Lemmus medius* Nilss. — *A. ratticeps* K. u. Bl.)

1. 1778. *Mus oeconomus* Pallas (XXV), p. 233.
2. 1847. *Lemmus medius* Nilss. Nilsson (CIX), p. 361.
3. 1853—55. *Hypudaeus medius* Nilss. Nordman (CXXV). Öfv. af Finsk. Vet. Ak. Förb. II, p. 70—71.
4. 1854. *Arvicola ratticeps* Blas. Brandt (CXXIII), p. 37.
5. 1857. *Lemmus medius* Nilss. Wolley (CXXVII). Förh. Skand. Nat. Syv. Möde, p. 219.
6. 1874. *Arvicola ratticeps* K. u. Bl. Lilljeborg (CLVIII), p. 303.
7. 1875. „ — *ratticeps* K. u. Bl. Collett (CLXIV), Carte zoogéogr.
8. 1875. — *medius* (= *Hypud. ratticeps*). Middendorff (CLXII), p. 1045.
9. 1877. — *ratticeps* K. u. Bl. Collett (CLXX). Nyt Mag. f. Naturv. Bd. 22, p. 68, n. 20.

Benennungen: Die russische Benennung ist dieselbe, wie für *Hyp. amphibius*; die Lapländer unterscheiden die *Arvi-*

3*

cola-Arten nicht und nennen sie ebenso wie *Mus musculus — Saplyg.*

Schon Pallas (1) sprach in seiner Arbeit über die Nager die Ansicht aus, dass die Züge von *Arvicola oeconomus* sich bis in das nördliche Europa ausdehnen dürften, und irrte nur insofern, als *Arvicola oeconomus* das nördliche Europa nicht auf seinen Zügen berührt, sondern ständig bewohnt. Denn seit *Arvicola ratticeps.* K. u. Bl. einerseits durch Sundevall[1]) mit *Lemmus medius* Nilss. und andererseits durch Lilljeborg (6) und Poljakow[2]) mit *Arvicola oeconomus* vereinigt worden ist, haben sich die Muthmassungen von Pallas glänzend bestätigt. Auf meiner Reise nach Lapland bin ich dieser Art nicht begegnet, wenigstens befindet sich unter den mitgebrachten *Arvicola*-Exemplaren kein einziges Stück, welches dieser Art angehörte. Dass sie aber in den von mir besuchten Gegenden vorkommt, beweist ein Exemplar, das v. Baer mitbrachte und das bei Brandt (4) angeführt wird, sowie eine Angabe v. Middendorff's (8), dass er sie in Lapland gefunden habe. Möglich ist es, dass diese Angabe sich auf dasselbe Exemplar bezieht, da alle Exemplare, die Herr v. Middendorff in Lapland gesammelt hat, in der Akademischen Sammlung als vom Akad. von Baer stammend bezeichnet sind. Aus den südlicheren Theilen unseres Gebietes befinden sich im Museum der Universität Upsala, laut Lilljeborg (6), Exemplare aus Pajala in Torneå-Lapmark; ausserdem giebt es Funde von Wolley (5)

---

1) Sundevall. Öfv. af Vet. Ak. Förh. 1845. Bd. I, p. 191.

2) Поляковъ, Ив. С. Систем. обзоръ полевокъ, водящихся въ Сибири. Прилож .къ XXXIX-му тому Записокъ Имп. Академіи Наукъ. Спб. 1881, стр. 4.

in Muonioniska und Exemplare aus verschiedenen Theilen Laplands im Museum zu Helsingfors, von Hrn. Licent. Mäklin und Stud. Arthur v. Nordmann gesammelt (3). Aus dem nördlicheren Theile Laplands, ohne genauere Angabe des Fundortes (vielleicht auch aus dem schwedischen Laplande), erwähnt ihrer Sundevall (1. c.), während Nilsson (2) Exemplare aus Karesuando durch Laestadius erhalten hat und ausserdem von ihrem Vorkommen in Ost-Finmarken am Varanger-Fjorde berichtet. Die letztere Angabe wird auch von Collett (9) bestätigt, da Nordvi diese Art häufig am Varanger-Fjorde und bei Karasjok erhalten hat; besonders häufig soll sie daselbst im Jahre 1872 aufgetreten sein. In günstigen Jahren tritt auch diese Feldmaus in bedeutend grösserer Anzahl auf als gewöhnlich. Wenigstens wurde diese Erscheinung beobachtet von Wolley (5), während der Lemmingswanderung des Jahres 1853, und von Collett (9). Nach Löwenhjelm (XCIX) soll diese Feldmaus im schwedischen Laplande am Fusse der Gebirge häufig sein, auf den Gebirgen selbst aber fehlen. Diese Angabe über die verticale Verbreitung von *Arvicola oeconomus* stimmt aber mit ihrem Vorkommen in der Nähe des Varanger-Fjords nicht ganz überein, so dass sie noch einer Bestätigung bedarf.

9. Arvicola Glareolus Schreb.

1. 1847. *Lemmus glareolus* Schreb. Nilsson (CIX), p. 364.
2. 1853—55. *Hypudaeus glareolus*. Nordmann (CXXV). Öfv. af Finsk. Vet. Ak. Förh. II, p. 70—71.
3. 1857. *Lemmus glareolus* Schreb. Wolley (CXXVII). Förh. Skand. Nat. Syv. Möde, p. 219.
4. 1874. *Arvicola glareola* Schreb. Lilljeborg (CLVIII), p. 288.
5. 1875.   — *glareolus* Schreb. Collett (CLXIV), Carte zoogéogr.
6. 1877.   — *glareolus* Schreb. Collett (CLXX). Nyt. Mag. f. Naturv. Bd. 22, p. 65, n. 16.

Arvicola glareolus Schreb. ist in unserem Gebiete in
Torneå-Lapmark gefunden worden, und zwar hat das
Universitätsmuseum von Upsala durch den Cand. phil. C.
Laestadius ein Exemplar aus Pajala erhalten (4) und
das Museum zu Helsingfors durch den Licent. W. Mäklin (2)
eines aus Muonioniska. Auch glaubt Wolley (3), dass sie
während der Lemmingswanderung des Jahres 1853 in Muonioniska zu finden gewesen ist. Laut Collett (6) erscheint
A. glareolus nur sporadisch auf den Gebirgen bis in die
Birkenregion hinauf, könnte aber daher möglicherweise in
den nördlichsten Theilen unseres Gebietes gefunden werden.

10. Arvicola rutilus Pall.

1. 1847. *Lemmus rutilus* Pall. Nilsson (CIX), p. 367.
2. 1857. — *rutilus*. Wolley (CXXVII). Förh. Skand. Nat. Syv. Möde,.
   p. 219.
3. 1874. *Arvicola rutilus* Pall. Lilljeborg (CLVIII), p. 290 anm. 2, p. 292
   u. 1061, n. 38.
4. 1875. — *rutilus* Pall. Middendorff (CLXII), p. 1045.
5. 1875. — *rutilus* Pall. Collett (CLXIV), Carte zoogéogr.
6. 1877. — *rutilus* Pall. Collett (CLXX). Nyt Magazin for Naturv.
   Bd. 22, p. 67, n. 18.

Arvicola rutilus Pall. scheint dem höchsten Norden
unseres Gebietes eigen zu sein. In dem südlicheren Theile
ist sie in Muonioniska von Wolley (2), während des Lemmingszuges des Jahres 1853, beobachtet worden, und L. L.
Laestadius sandte Exemplare aus derselben Gegend in das
Zool. Reichsmuseum zu Stockholm (3). Im westlichen Theile
unseres Gebietes hat sie derselbe Laestadius in Karesuando erhalten (1 u. 3), während Nordvi zahlreiche
Exemplare bei Mortensnaes am Varanger-Fjorde und bei
Karasjok gesammelt hat (3 u. 6). Im eigentlichen russischen Laplande hat sie zuerst Middendorff (4) nachge-

wiesen, doch ohne genauere Angabe des Fundortes. Während-meines Aufenthaltes in Lapland war *Arvicola rutilus* Pall.' sehr häufig und habe ich dieselbe vom Südende des Imandra-Sees bis nach Kola hin verfolgt. Auf den Stationen Saschejek und Jokostrow am Imandra erhielt· ich Exemplare dieser Feldmaus am 15 und 19. Juli. Am Fusse der Chibinschen Berge habe ich dieselbe auch beobachtet, und zwar hatte sie sich in dem Rettungshause am Ostufer des Imandra häuslich niedergelassen. Ferner fand ich dieselbe am 8. August auf der· grossen Taibola zwischen der Station Kitzä und dem Flusse Kola in der Nacht thätig. Bei Kola endlich fand ich am 21. August ein Nest dieser Feldmaus mit 5 Jungen. Es war unter einem Busche der Krüppelbirke (*Betula glutinosa* Wahlenb.) ziemlich unordentlich gebaut. Inwendig war es mit etwas Haar ausgelegt. Die Jungen waren noch ziemlich unbeholfen, so dass ich sie alle mit Leichtigkeit fing, während die Alte ihre Brut im Stich liess und quiekend sich aus dem Staube machte.

˒ **Anmerkung.** Nach einer Angabe des Akadem. Brandt (CXXIII, p. 38), soll der Akad. von Baer ein Exemplar dieser Feldmaus vom Weissen Meere mitgebracht haben. Diese Angabe ist aber erstens sehr ungenau, und zweitens kann sich dieselbe, aus früher angegebenen Gründen, auf die Exemplare v. Middendorff's beziehen. In Folge dessen ist diese Angabe hier nicht aufgenommen worden.

11. Arvicola rufocánus Sundev.

1. 1847. *Lemmus rufocanus* Sundev. Nilsson (CIX), p. 366.
2. 1851—53. *Arvicola rufocanus* Sundev. Middendorff (CXXI), p. 114.
3. 1853—55. *Hypudaeus rutilus* Nilss. apud Nordmann (CXXV). Öfv. af Finsk. Vet. Ak. Handl. Bd. II, p. 71.

4. 1873—74. *Arvicola rufocanus* Sundev. Mäklin, W., (CLVII). Öfv. af
Finsk. Vet. Soc. Förh. Sep. p. 276.

5. 1874. — *rufocanus* Sundev. Lilljeborg (CLVIII), p. 294.

6. 1875. — *rufocanus* Sundev. Collett (CLXIV), Carte zoo-.
géogr.

7. 1877. —· *rufocanus* Sundev. Collett (CLXX). Nyt Mag. f.
Naturv. Bd. 22, p. 66, n. 17.

Arvicola rufocanus Sundev. scheint über unser ganzes Gebiet, mit Ausnahme der Tundra-Strecken, verbreitet
und überall, namentlich zeitweise, nicht selten zu sein.
In Torneå-Lapmark haben sie Laestadius (5) aus Karesuando und Licent. Mäklin (3 u. 4) aus Enontekis erhalten. Die von Mäklin gesammelten Exemplare wurden
zwar anfänglich von Nordmann (3) für *Arv. rutilus* Pall.
angesprochen, doch hat Mäklin (4) diesen Fehler später selbst berichtigt. Auch erwähnt er (4), dass ausser
dem Funde in Enontekis *Arvicola rufocanus* noch auf
der schwedischen Seite des Muonio, in Karesuando gefunden worden ist. Ob diese Angabe sich auf die Beobachtungen von Laestadius bezieht, oder nicht, kann ich
natürlich nicht entscheiden. Der Hauptsitz dieser *Arvicola-*
Art soll die Birkenregion sein. In Ost-Finmarken ist sie
von Prof. Esmark und Adj. Friis (5), von letzterem am
Varanger-Fjorde, gefunden worden. Collett (7) erwähnt
ebenfalls ihres Vorkommens in Karasjok und am Varanger-
Fjorde. Im russischen Laplande hat sie Middendorff
(2) zuerst gefunden. Sie kommt daselbst nicht selten vor und
ist von mir in Kandalakscha am 10. Juli, am Saschejek
des Imandra-Sees am 15. Juli und bei Kola um den
10. August gefunden worden. Nach Collett (7) soll sie
zuweilen periodisch auftreten und dann auf den Heuschlägen grossen Schaden anrichten; in die Häuser und Lap-
penzelte soll sie sich auch begeben. In Kola hörte ich

viele Klagen über den Schaden, welchen eine *Arvicola*-Art auf den Inseln der Tuloma, den besten Heuschlägen der Gegend, angerichtet hatte. Die Gänge derselben sollen so dicht bei einander liegen und die Erde so auffurchen, dass der Graswuchs in bedeutendem Grade beeinträchtigt wird. Leider fehlte es mir an Zeit, um diese Inseln zu besuchen und einerseits die schädliche Art zu bestimmen, andererseits ihre Baue genauer zu untersuchen. Aus diesem Grunde kann ich das Gesagte nur als Erzählung der Einwohner anführen und die Vermuthung aussprechen, dass die betreffende Wühlmaus *Arvicola rufocanus* Sundev. gewesen sei.

12. Arvicola gregarius L.

1. 1832. *Lemmus arvalis.* Wright (LXV). Tidskr. f. Jäg. och Naturf. Bd. I, p. 298.
2. 1847. — *agrestis* L. Nilsson (CIX), p. 371.
3. 1857. — *agrestis* L. Wolley (CXXVII). Förh. Skand. Nat. Syv. Möde, p. 219.
4. 1874. *Arvicola agrestis* L. Lilljeborg (CLVIII), p. 310.
5. 1875. — *gregarius* L. Collett (CLXIV), Carte zoogéogr.
6. 1877. — *gregarius* L. Collett (CLXX). Nyt Mag. f. Naturv. Bd. 22, p. 69, n. 21.
7. 1877. *Mus agrestis.* Fellman (CLXXXIII), p. 260, n. 25.

Benennung: Lapl. *Måldak* (nach Fellman).

Obgleich diese Wühlmaus in Skandinavien die weiteste Verbreitung hat und am häufigsten sein soll, so hat sie doch noch Niemand im eigentlichen, russischen Laplande gefunden. Alle oben citirten Werke geben in Bezug auf Skandinavien so übereinstimmende und allgemeine Daten, dass ich mich nur auf folgende, für unser Gebiet specielle Angaben beschränken kann. Wolley (2) fand sie bei Muonioniska, während der Lemmingswanderung des Jahres

1853, Wright (1) erhielt sie bei Karesuando und Fellman (7) erwähnt ihres Vorkommens im finnisch-schwedischen Laplande. Nach Collett (6) ist sie in Ost-Finmarken bis zur russischen Grenze hin verbreitet, soll aber in geringerer Anzahl auftreten als andere *Arvicola*-Arten. Dies mag auch der Grund dafür sein, dass sie bis jetzt von allen Forschern übersehen worden ist. Vertikal soll sie nach Löwenhjelm [bei Lilljeborg (4)] bis zur Grenze des ewigen Schnees hinaufsteigen. Nach Fellman (7) pflanzt sie sich sogar im Winter in Heuschobern fort und bringt 5—6 Junge zur Welt.

Genus 4. MYODES Pall.

13. Myodes schisticolor Lilljeborg.

1. 1844. *Myodes schisticolor* Lilljeborg (CIII), p. 11.
2. 1850. — *schisticolor*. Wegelin u. Sundevall (CXIV). Hornschuch's Arch. Skand. Beitr. Bd. 2, p. 327.
3. 1872. — *schisticolor*. Sädbom (CLIII). Öfv. Kgl. Vet. Ak. Förh. 1872, № 4, p. 31.
4. 1872. — *schisticolor*. Sädbom (CLIII). Ibidem. № 8, p. 41.
5. 1873. — *schisticolor* Lilljeb. Leche (CLV). Zool. Garten. Jahrg. XIV, p. 64.

Obgleich es gar nicht dem Plane der vorliegenden Arbeit entspricht, die verschiedenen Ansichten über die «Güte» einzelner Arten zu behandeln, so halte ich es doch für nöthig, ein gutes Wort für die Selbstständigkeit des *Myodes schisticolor* einzulegen. Diese Selbstständigkeit ist von Dr. Nehring[1]) angegriffen worden, und zwar mit einem Ausfalle gegen die Systematiker, der zur Genüge darthut,

---

1) Nehring, Dr. Alfr. Die geographische Verbreitung der Lemminge in Europa jetzt und ehemals. Gaea, 1879, p. 666.

dass der Verfasser mit dem Gegenstande wenig bekannt ist. Die Stelle lautet wörtlich folgendermassen: «Neben «ihm (d. .h. *Myodes Lemmus*) kommt in Skandinavien eine «Varietät vor, welche *M. schisticolor* von Lilljeborg ge- «nannt und als selbstständige Art unterschieden ist. Nach «dem, was ich davon in der grossen Sammlung des Herrn «Geh. Rath v. Nathusius zu Hundisberg, sowie im Her- «zogl. naturhistorischen Museum zu Braunschweig gesehen «habe, kann ich darin nur eine Varietät erkennen, welche «in der Färbung des Pelzes und in einigen anderen un- «wesentlichen Punkten von der typischen Form abweicht, «in den osteologischen Kriterien aber völlig mit dersel- «ben übereinstimmt. Es würde schwer halten, etwaige «Fossilreste des *M. schisticolor* von denen des *M. Lemmus* «zu unterscheiden, eine Probe, welche freilich viele andere «sogenannte Arten, welche von den Systematikern oft nach «schlecht erhaltenen Bälgen, wegen abweichender Färbung, «Schwanz- und Ohren-Länge aufgestellt sind, nicht be- «stehen würden».

Vor allen Dingen ist in diesem Satze zu bedauern, dass Hr. Nehring nicht genauer das Material über *Myodes schisticolor* verzeichnet, welches ihm zu Gebote gestanden hat. Denn wenn dasselbe aus «schlecht erhaltenen Bäl- gen» oder mangelhaften Skeletten bestanden hat, so ist es nicht zu verwundern, dass er zu solchen Resultaten ge- kommen ist. Jedenfalls ist anzunehmen, dass ausser den skandinavischen Museen wohl schwerlich irgend welche Sammlung ein bedeutendes Material besitzt, da gerade *Myodes schisticolor* noch verhältnissmässig selten gefunden worden ist. Aus diesem Grunde muss man natürlich das grösste Gewicht auf die Arbeiten der skandinavischen Zoo- logen legen, wobei man in dem Werke Lilljeborg's über

die Wirbelthiere Schwedens und Norwegens, im ersten
Bande, eine so erschöpfende Beschreibung des äusseren und
inneren Baues unseres Thieres findet, dass man wohl kaum
jenen Ausspruch gegen die Selbstständigkeit der Art machen kann. Wem aber diese in schwedischer Sprache abge-
fasste Abhandlung unzugänglich sein sollte, der findet die
hauptsächlichsten Kennzeichen der Art bei Wilhelm Leche
(5) sehr richtig wiedergegeben. Alle bei ihm angeführten
Kennzeichen stimmen vollständig mit meinem Material überein, das allerdings nicht gross ist, indem es nur aus 6, zum
Theil unvollständigen Schädeln und den dazu gehörigen,
z. Th. defecten Bälgen besteht. Die äusseren Kennzeichen
des Waldlemmings bestehen, ausser der vom Berglemming
vollkommen verschiedenen Färbung und bedeutend gerin-
geren Grösse, noch darin, dass die Klauen an den Vorder-
füssen bei *Myodes schisticolor* bedeutend kürzer sind als
an den Hinterfüssen und folglich das umgekehrte Verhältniss
zeigen, wie bei *Myodes Lemmus*. Doch da alle diese Kennzeichen für einen ausschliesslichen Osteologen durchaus
nicht überzeugend sind und er nur durch osteologische
Kennzeichen (was doch wohl etwas einseitig ist) überzeugt
werden kann, so muss bemerkt werden, dass in den osteologischen Verhältnissen scharfe und constante Unterschiede
nachzuweisen sind. Ich will damit nicht sagen, dass in allen
Theilen des Skelets Differenzen vorhanden sind, um so mehr,
als ich der Meinung bin, dass selbst die von Dr. Nehring
anerkannten Lemmingsarten nach einzelnen Knochen, mit
Ausnahme des Schädels, nicht unbedingt richtig bestimmt
werden können. Wenn sich also demnach die «osteologischen Kriterien» nur auf den Schädel beziehen können, dann
hat *Myodes schisticolor* deren sehr constante aufzuweisen,
welche bei einer Bestimmung der Art wohl keine wei-

teren Schwierigkeiten bereiten dürften. Das os interparie-
tale ist nämlich bei *M. schisticolor* subtriangular, während
es bei *M. Lemmus* subrectangular ist. Die Hirnschale, von
der äusseren Ecke der pars squamosa ossis temporum an
gemessen, ist länger als breit; bei *M. Lemmus* ist das Verhältniss umgekehrt. Die hervortretenden Winkel der unteren Backenzähne sind bei *M. Lemmus* etwas spitziger als
bei *M. schisticolor*. [Lilljeborg, W. Sweriges och Norges
Ryggradsdjur. Bd. I, p. 318 u. 328; Leche, W. (5)].

Zu bedauern ist ferner, dass Dr. Nehring in seiner Arbeit «Ueber die Verbreitung der Lemminge in Europa jetzt
und ehemals» die Heimath des *M. schisticolor* und namentlich seinen Wohnsitz vollkommen unberücksichtigt gelassen
hat. Er hätte nämlich gefunden, dass bei normalen Verhältnissen, d. h. wenn keine Wanderungen des Berglemmings
stattfinden, die beiden Arten ein ganz verschiedenes Gebiet
bewohnen, was davon herrührt, dass *M. schisticolor* ein typi-
scher Repräsentant der Fauna des aus *Abies excelsa* be-
stehenden Waldes ist, während *Myodes Lemmus* in der *Regio
subalpina* auftritt. Ueberhaupt hat meiner Meinung nach
Niemand die beiden Lemmingsarten verwechseln können,
sondern ist vielmehr anzunehmen, dass *Myodes schisticolor* vor der gründlichen Untersuchung Lilljeborg's, seinem äusseren Aussehen nach, mit einer *Arvicola*-Art verwechselt worden ist. Darin stimme ich mit Dr. Nehring
vollkommen überein, dass die Systematiker sehr Unrecht
thun, auf Grund schlechter Bälge, wegen abweichender
Färbung, Schwanz- und Ohren-Länge neue Arten aufzu-
stellen. Doch ist eine solche Anklage Prof. Lilljeborg gegenüber vollkommen unpassend, da seine Arbeiten geradezu
erschöpfend genannt werden können. Für ebenso Unrecht
halte ich es aber, wenn Osteologen alle Arten vereinigen

wollen, die nicht scharfe osteologische Unterschiede aufzuweisen haben, geschweige denn solche, die gute osteologische
Kennzeichen besitzen.

Unser Gebiet berührt der Waldlemming nur in seinem
südlichsten Theile, denn weder litterarische Hinweise, noch
eigene Funde haben sein Vorkommen weiter nach Norden
constatiren können. Ich selbst glaube dem Waldlemminge
nur einmal, am 2. Juli in der Nähe von Kandalakscha am
weissen Meere, begegnet zu sein, aber ohne seiner habhaft
werden zu können. Sein Vorkommen in dieser Gegend ist
jedoch durch die Funde von Herrn W. Lawrow zur Genüge
bestätigt worden, da letzterer 4 todte Waldlemminge auf dem
weissen Meere in der Nähe der Knjashaja Guba, wenig
südlicher als Kandalakscha, treibend fand. Das von mir
beobachtete Exemplar befand sich in hohem Nadelwalde
und wohnte in einem grossen Mooshügel, in welchen es
auch bei unserer Verfolgung flüchtete. Der Fund des Hrn.
Lawrow ist von ganz besonderem Interesse, weil er deutlich beweist, dass in demselben Jahre, wo der Berglemming wanderte, auch der Waldlemming eine Wanderung
unternommen hatte. Ferner endigt die Wanderung ebenfalls im Meere, da die erbeuteten Exemplare bestimmt er-
soffene Wanderer waren. Aus den Angaben, die oben angeführt sind, ersehen wir ferner, dass *M. schisticolor* ebenfalls des Nachts wandert [Sädbom (3)], oder an bewölkten
Tagen [Sädbom (4)], und auch eine gewisse Richtung ein-
schlagen soll. Ein Theil der Wanderer bestand im Sommer des Jahres 1872 [Sädbom (4)] aus unausgewachsenen
Weibchen. Wegelin (2) glaubt, dass *M. schisticolor* sich
mit *M. Lemmus* paart; doch ist diese Angabe sehr zu be-
zweifeln, namentlich daher, weil die beiden Arten ganz
verschiedene Wohnsitze haben und nicht mit einander in

Berührung kommen, ausser vielleicht während der Wanderungen.

14. Myodes Lemmus L.

1. 1567. *Lemmar, Lemmus.* Olaus Magnus (I),Lib.XVIII,Cap.XX,p.696.
*2. 1580. ? Wunderzeitung von Mäusen, so in Norwegen aus der Luft gefallen sind Anno 1579. (II). 4⁰.

3. 1650. *Lemmer.* Scaliger (III), CXCII, p. 626, n. 3.
4. 1652. *Lemmus.* Olaus Magnus (IV), Lib. XVIII, Cap. XX, p. 463.
5. 1653. *Mus norwagicus.* Worm, Ol. (V), p. 5.
6. 1655. — *norwagicus* vulgo *Leming.* Worm, Ol. (VI), p. 325—334.
7. 1673. *Lemmus.* Scheffer (VIII), Cap. XXIX, p. 344.
8. 1674. *Leming.* Olearius (IX), p. 20, n. 6.
9. 1699. *Sable-Mice.* Rycaut (XI). Philos. Trans. Vol. XXI, p. 110.
10. 1740. *Mus, cauda abrupta, corpore fulvo, nigro maculato.* Linnaeus (XIV). Kgl. Vet. Ak. Handl. Vol. I, p. 320—325.
*11. 1740. — — — Linné (XIII). Analecta transalpina. T. I, p. 68.
*12. 1742. *Lömick, Fjällmåss.* Hoegström (XV). Analecta transalpina. T. II, p. 160.
13. 1749. — — Hoegström (XVIII). Kgl. Vet. Ak. Handl. Vol. X, p. 14—23.
14. 1753. *Die nordische Maus.* Pontoppidan (XIX), p. 58.
15. 1767. *Leming.* Moncali (XXI). Giornale d'Italia. T. III, p. 189.
16. 1767. *Mures.* Leem (XX), p. 224, cum E. Gunneri notis.
17. 1775. *Mus Lemmus.* Hammer (XXIII), p. 12, n. 39.
18. 1778. — *Lemmus.* Pallas (XXV), p. 186 et seq.
19. 1784. *Lemmus.* Pennant (XXVII), Vol. I, p. LXXIV, p. 136. C.
20. 1793. *Lemmus.* Pennant (XXIX), p. 198, n. 403 (3te Aufl.).
21. 1800. *Mus Lemmus.* Georgi (XXXI), p. 1571, n. 20.
21a. 1804. — *Lemmus.* Grape (XXXII). Kgl.Vet.Ak. Nya Handl.Bd.XXV, p. 91.
22. 1804. *Lemmick.* Acerbi (XXXIII), T. III, p. 131—132.
23. 1804. *Mus Lemmus.* Озерецковскій (XXXV), стр. 53—55.
24. 1811. — *Lemmus.* Linné u. Smith (XXXVI), p. 106, 162, 303.
25. 1811. *Myodes Lemmus.* Pallas (XXXVII), p. 173.
26. 1819. *Marmota Lemmus* Blumenb. Bedemar (XXXIX), p. 164.
27. 1822. *Mus Lemmus* L. Zetterstedt (XL), Bd. II, p. 93.
28. 1829. *Пеструшка.* Двигубскій (XLVII), стр. 36.
29. 1830. *Mus Lemmus.* Рейнеке (XLVIII), стр. 30.

30. 1831. *Lemming.* Keilhau (XLIX), p. 179.

31. 1832. *Fjell-Lemmel.* Söderhjelm (LI). Tidskr. f. Jäg. och Naturf. Bd. I, p. 159—163.

32. 1832. *Lemmel.* Laestadius (LV). Ibidem, p. 163.

33. 1832. *Lemmel.* Ekström (LIII). Ibidem, p. 163.

34. 1832. *Fjell-Lemmel.* Byström (LII). Ibidem, p. 163.

35. 1832. *Fjell-Lemmel.* Beckmann (LIV). Ibidem, p. 163.

36. 1832. *Fjell-Lemmel.* Littorin (LVII). Ibidem, p. 246.

37. 1832. *Fjellmöss.* Grönlund (LX). Ibidem, p. 247.

38. 1832. *Lemlar.* Boström (LIX). Ibidem, p. 247.

39. 1832. *Fjellmöss.* Bjorkmann (LVIII). Ibidem, p. 247.

40. 1832. *Fjellmöss.* Arfvedson (LXI). Ibidem, p. 248.

41. 1832. *Lemmus borealis.* Wright (LXV). Ibidem, p. 293.

42. 1833. — *borealis.* Zetterstedt (LXVIII), pp. 104, 105.

43. 1838. *Lemming.* Baer (LXXXIX). Bull. sc. T. III, p. 132.

44. 1840. *Mus Lemmus* L., *Lemmus norwegicus* Ray. Martins (XCIII). Rev. zool. p. la Soc. Cuv. p. 193—206.

*45. 1840. — *Lemmus* L., *Lemmus norwegicus* Ray. Martins (XCIV). Soc. Philom. Extr. Procés verb. p. 80—82.

*46. 1840. — *Lemmus* L., *Lemmus norwegicus* Ray. Martins (XCV). L'Institut. VIII, № 346, p. 272.

*47. 1841. — *Lemmus* L., *Lemmus norwegicus* Ray. Martins (XCVI). Fror. N. Not. Bd. 18, № 390, p. 246—248.

48. 1841. *Lemming.* Hogguer (XCVII), p. 180.

49. 1842. *Lemming.* Baer (XCVIII). Bull. sc. T. IX, p. 104—105.

50. 1843. *Lemming.* Baer, in Middendorff's Ber. (C). Beitr. z. Kenntn. d. Russ. Reichs. VIII, p. 15.

51. 1843. *Полевыя мыши (Пеструшка).* Рейнеке (CI), Ч. II, стр. 49.

52. 1843. *Myodes Lemmus.* Löwenhjelm (XCIX). Sv. Vet. Ak. Handl. p. 387.

53. 1844. *Myodes.* Lilljebórg (CIII), p. 5.

54. 1844. *Myodes Lemmus.* Lilljeborg (CIII). Observ. Zool., p. 11.

55. 1845. — *Lemmus.* Middendorff (CV). Beitr. z. Kenntn. d. Russ. Reichs. Bd. XI, pp. 167, 168.

56. 1845. *Lemming.* Malm (CIV). Hornschuch's Arch. Skand. Beitr. Bd. I, p. 281.

57. 1845. *Пеструшка.* Пушкаревъ (CVI). Т. I, Кн. 2, Отд. 2, стр. 24.

58. 1845. *Пеструшка.* Геогр. стат. оп. (CVII). Арх. Губ. Вѣд. стр. 330.

59. 1847. *Lemmus Norwegicus* Worm. Nilsson (CIX). Bd. I, p. 374.

60. 1850. — *Norwegicus.* Lilljeborg (CXVI). Kgl. Vet. Ak. Handl. p. 239.

61. 1851. *Lemming.* Schmidt (CLXXXV), p. 61.

62. 1851. *Myodes Lemmus.* Malm (CXVII), p. 4.

63. 1852. — *Lemmus.* Malm (CXVIII). Froriep's Tagsber. über d. Fortschr. d. Natur- u. Heilk. №479, p. 286—288.

64. 1852. *Lemmus.* Ehrström (CXX). Not. ur Sällsk. p. Fl. och Fauna fenn. Förh. p. 1.
65. 1853. *Mus Lemmus.* Schrader, in Pässler (CXXII). Cab. Journ. f. Orn. Bd. I, p. 245.
66. 1854. *Lemmus Norvegicus* Worm. Lloyd (CXXIV), Vol. II, p. 66—81:
67. 1854. *Myodes Lemmus* L. Brandt (CXXIII), p. 39.
68. 1857. *Lemmus.* Wolley (CXXVII). Förh. ved de Skand. Naturf. Syvande Möde, p. 216.
69* 1860. *Lemming.* Ziegler (CLXXXVI), Bd. II, p. 112.
70. 1861. *Lemming.* Brehm (CXXX). Cab. J. f. O. Bd. X, p. 298.
71. 1863. *Le Lemming de Norvège.* Guyon (CXXXVII). Comptes rendus, LVII, pp. 486—489.
72. 1863. *Le Lemming de Norvège.* Guyon (CXXXVI). Rev. et Mag. de Zool. XV, p. 340.
*73. 1863. *Lemmus norwegicus* Desm. Guyon (CXXXVIII). Ann. and Mag. of Nat. Hist. Vol. XII.
74. 1864. — *norwegicus* Worm. Malmgren (CXXXIX). Wiegm. Arch. p. 86.
75. 1865. *Myodes Lemmus.* Brehm (CXLIV), Bd. II, p. 164—168.
76. 1869. *Lemmus norwegicus* Worm. Bowden (CXLVIII), p. 77.
77. 1869. *Пеструшка.* Дергачевъ (CL). Арх. Губ. Вѣд. № 103.
78. 1871. *Lemming.* Wheelwright (CLI), pp. 4, 230.
79. 1874. *Lemmus norwegicus.* Aubel, H. u. K. (CLIX), p. 226.
80. 1874. *Myodes Lemmus* L. Lilljeborg (CLVIII), pp. 322, 1062—1063.
81. 1875. — *Lemmus* L. Collett (CLXIV), Carte zoogéogr.
82. 1875. — *Lemmus.* Middendorff (CLXII), Bd. IV, Th. 2, pp. 1109, 1114, 1118, 1135—1138, 1237—1238.
83. 1877. — *Lemmus* L. Collett (CLXX). Nyt. Mag. f. Naturv. Bd. 22, p. 70, n. 22.
84. 1878. *Lemmus norwegicus.* Duppa Crotsch (CLXXII). Journ. of the Linnean Soc. Vol. XIII, p. 27—34.
85. 1878. — *norwegicus.* Duppa Crotsch (CLXXIII). Ibidem, p. 83.
86. 1878. — *norwegicus.* Duppa Crotsch (CLXXIV). Ibidem, p. 157—160. (Plate XIII).
*87. 1878. — *norwegicus.* Duppa Crotsch (CLXXV). Nature, XIV, p. 113.
88. 1878. *Myodes Lemmus.* Collett (CLXXVI). Journ. of the Linnean Soc. Vol. XIII, p. 327—335.
89. 1879. — *Lemmus* Pall. Nehring (CLXXVIII). Gaea, J. XV, pp. 663—671, 712—726.
90. 1879. *Mus Lemmus.* Fellman (CLXXXIII), p. 257, n. 24.

Benennungen: Auf der Kola-Halbinsel, d. h. im russischen Laplande, nennen die russischen Bauern den Lem-

ming meist *polossataja mysch* (полосатая мышь), zuweilen auch *pestraja mysch* (пестрая мышь), während der
Ausdruck *pestruschka* oder *pestrucha* (пеструшка oder
пеструха) nach meinen Erkundigungen nur bei den Einwohnern der Stadt Kola gebräuchlich ist. Zuweilen
habe ich den Lemming auch *olenja mysch* (оленья мыть)
nennen hören, doch glaube ich, dass dieser Name nur
eine Uebersetzung des lapländischen Namens und kein
echt russischer ist. Middendorff (55) gebraucht für
den Lemmingszug den Ausdruck *myschejad* (мышеядъ);
ich bin hingegen dieser Benennung nirgends begegnet, während die auch von Middendorff für den Lemmingszug angeführte Bezeichnung der einheimischen
Jäger *myschi tekut* (мыши текутъ) sehr gebräuchlich
ist. Auch hört man häufig den Ausdruck *polossatym
myscham tetsch natschalas* (полосатымъ мышамъ течь
началась), wobei das Wort *tetsch* nicht im gewöhnlichen
Sinne der Ranzzeit, sondern vielmehr im Sinne der
Wanderung aufgenommen werden muss. Die Lapländer nennen unser Thierchen *kont-saplyg*, d. h. Ren-
thier-Maus, und erklären diesen Namen dadurch, dass
die Renthiere mit grossem Vergnügen Lemminge ver-
zehren und zuweilen die Lemmingszüge so hartnäckig
verfolgen, dass sie sich dabei sehr weit verlaufen. Dass
nicht nur zahme, sondern auch wilde Renthiere dem
Lemminge nachstellen, beweist der Name zur Genüge,
da *kont* speciell das wilde und nicht das zahme Renthier bezeichnet. Denselben Namen finden wir auch bei
den finnischen und norwegischen Lapländern, wenigstens seiner Bedeutung nach; doch wird er dort *godde-
saeppan* oder *godde-sapan* ausgesprochen. Von lapländischen Namen ist mir noch der von Linné als *Lum-*

..*ick* und von Högström (12) als *Lömick* angeführte
bekannt. In der schwedischen Sprache ist *Fjällmus*
oder *Fjällmås* am gebräuchlichsten, doch finden sich
noch die Namen *Sabelmus* und *Rödmus*. In Norwegen,
wo gegenwärtig die eigentliche Heimath des Thieres
ist, hat es auch die meisten Namen: *Lemmar*, *Leming*,
Leminger, *Lemender*, *Lommer*, *Lomhunde*, *Låming*,
Låmmer, *Låmmel*, *Lemming*, *Lemmich*, *Lemaenner*.
Schliesslich ist noch zu bemerken, dass in den schwedischen Abhandlungen der Lemming gewöhnlich *Fjell-
lemmel*, zum Unterschiede von *Skog-lemmel*, d. i.
Myodes schisticolor, genannt wird. In demselben Sinne
wird er in Norwegen *Bjerg-leemand* genannt.

Die Wanderungen der Lemminge haben an und für
sich so viele auffallende Seiten, dass es ganz erklärlich ist,
wenn sie schon seit geraumer Zeit die Aufmerksamkeit sowohl der Bewohner der Heimath unseres Thieres, als auch
vieler, namentlich skandinavischer Naturforscher auf sich
gezogen haben. Je nach dem Zeitalter und der Höhe der
Stufe, auf welcher sich die zoologischen Anschauungen befanden, haben die einzelnen Schriftsteller auch sehr verschiedene Ansichten, Hypothesen und Theorien über die
Lemmingszüge aufgestellt, die mit Ausnahme derjenigen,
welche einfach in das Gebiet der Fabel gehören, mehr oder
weniger geistreich die Wandererscheinungen erklären sollten, aber weder einzeln noch in der Gesammtheit ein
klares Bild von den Ursachen der Lemmingszüge darbie-
ten. Namentlich hat der Umstand die Deutung der Erscheinung sehr erschwert, dass kein Naturforscher die
Möglichkeit gehabt hat, die Erscheinung in ihrem ganzen
Verlaufe systematisch zu beobachten, sondern ein jeder

seinen Erklärungen nur Bruchstücke von Beobachtungen
zu Grunde gelegt hat. Ich will damit durchaus keinem
Forscher einen Vorwurf machen, da ich einerseits auch
selbst nur Bruchstücke habe beobachten können, andererseits die Schwierigkeit, ich möchte sagen Unmöglichkeit
einer systematischen Beobachtung der ganzen Erscheinung des Lemmingszuges durchaus nicht unterschätze.
Um daher nicht in denselben Fehler zu verfallen, d. h.
auf Grund der einzelnen Thatsachen, die ich selbst
zu beobachten Gelegenheit gehabt habe, Schlüsse über
die gesammte Erscheinung zu machen, hielt ich es für
zweckmässig, mich mit der Litteratur des Gegenstandes
möglichst vertraut zu machen, um auf diese Weise die
Lücken in meinen Beobachtungen auszufüllen und dann
erst an eine Erklärung der Erscheinung zu gehen. Dieses
Studium, welches mich viel Mühe gekostet hat, da ein grosser
Theil der einschlägigen Abhandlungen in der mir schwer
zugänglichen schwedischen Sprache abgefasst ist, hat mich
zu dem Schlusse gebracht, dass der Inhalt der Litteratur
in zwei vollkommen geordnete Theile zerfällt, von denen
der eine Theorien, Hypothesen und Ansichten über die Ursachen der Lemmingswanderungen enthält, der andere hingegen aus den Thatsachen und Beobachtungen besteht, welche
den ersteren zu Grunde gelegen haben. Dieser zweite Theil
war für mich von ganz besonderem Interesse, da die Gesammtheit der Beobachtungen ein ziemlich klares Bild von
dem Leben des Lemmings liefert, was für mich um so
wichtiger war, da ich der Meinung bin, dass nur auf Grund
der Lebensweise des Thieres eine genügende Erklärung
seiner Wanderungen gegeben werden kann. Demnach halte
ich es für das Passendste, zuerst ein möglichst genaues Bild
vom Leben und Wandern unseres Thieres nach eigenen

und fremden Beobachtungen zu entwerfen, darauf die einzelnen Theorien über den Lemmingszug in chronologischer
Reihenfolge kritisch zu betrachten, und schliesslich eine mir
passend scheinende Erklärung der Ursachen der Erscheinung zu geben und diese Erklärung möglichst genau zu
motiviren. Ich bin durchaus nicht der Meinung, dass meine
Erklärung eine unbedingt endgültige sein wird, glaube
aber, dass bei dem heutigen Stande unserer Kenntniss der
Lebensweise des Lemmings, so wie auf Grund meiner eigenen Beobachtungen, ich in Verlegenheit gerathen würde
eine andere Erklärung zu finden. Bei genaueren, namentlich ununterbrochenen Beobachtungen wird dieselbe vielleicht von selbst zusammenfallen und nur die Zahl der
Theorien um eine fernere vermehren.

Die erste Frage, der wir bei der Betrachtung der
Lebensweise des Lemmings begegnen, ist natürlich die: in
welcher Pflanzenregion hat der Lemming seine bleibende,
eigentliche Heimath? Die Beantwortung dieser Frage ist
von ganz besonderer Wichtigkeit auch insofern, als wir
a priori annehmen müssen, dass nur die Combination der
verschiedenen Verhältnisse in dieser Pflanzenregion den
Anforderungen des Lemmings entsprechen kann. Dieser
Pflanzengürtel, den der Lemming in denjenigen Zeiträumen bewohnt, wenn er nicht auf der Wanderung begriffen
ist, und der also als seine eigentliche Heimath angesehen
werden muss, ist Anderson's *Regio subalpina*, und zwar
derjenige Theil derselben, der mit einzelnen Sträuchern
von *Juniperus communis* und einem dichten Gestrüpp von
Betula nana bedeckt ist (*R. subalpina et Betulae nanae*).
Wenn einzelne Forscher, wie Crotsch (86), behaupten, dass man bis jetzt nicht genau wisse, wo des Lemmings
Heimath sei, so beruhen solche Aussprüche nur auf gänz-

licher Unkenntniss der einschlägigen Litteratur. So hat
Martins (44) z. B. auf dem Alpenplateau von Lapland
den Lemming in dieser Region überall gefunden; derselbe
begann aber zu verschwinden, als die gewöhnliche Birke
(*Betula alba*) aufzutreten begann. Laut Collett(88) kommt
er in demjenigen Pflanzengürtel vor, der auf das Nadelholz
folgt, also gerade in der *Regio subalpina*. Der Lemming
ist so streng an diese Region gebunden, dass in den Zeiträumen zwischen zwei Wanderungen seine horizontale und
verticale Verbreitung mit der Ausdehnung dieser Pflanzen
zone übereinstimmt. Ohne einen Fehler zu begehen, können
wir daher behaupten, dass wenn der Lemming in der Diluvialperiode England, Frankreich, Belgien, einen grossen
Theil von Deutschland, so wie Polen bewohnt hat, zu jener Zeit daselbst die *Regio subalpina* vertreten war. Mit
dem Zurückweichen dieser Region, das in Folge der Mil-
derung des Klimas eintrat, hat sich auch der Lemming
allmählich nach Norden zurückdrängen lassen, bis er auf
sein heutiges Gebiet beschränkt ward. Sollte in Folge des
Vorschreitens der Nadelwaldregion (*Regio sylvatica*) das
ganze europäische Festland mit Nadelwald bedeckt werden
und die *Regio subalpina* verschwinden, so ist auch dem Lemming ein unvermeidlicher Untergang gesichert. Was seine
verticale Verbreitung betrifft, so hängt dieselbe vollständig
von der geographischen Breite des betreffenden Punktes ab,
da am Eismeer der Lemming auf der Höhe des Meeresniveaus
ständig vorkommt, während er südlicher höher und höher zu
steigen hat, um sein Heimathsgebiet zu erreichen. Aus
diesem Grunde kommt er laut Collett (88) in Norwegen
bis zum Polarkreise nur längs der Kjölen-Kette vor; weiter nach Norden, in ganz Finmarken, ist er auf kleineren
Gebirgen zu finden, die über die Nadelwaldregion hinaus-

ragen, und an den Ufern und auf den Inseln des Eismeeres
in der Höhe des Meeresniveaus, mit Ausnahme derjenigen
Stellen dieser Ufer und Inseln, die schon der reinen Tundra
angehören und daher zur *Regio alpina* zu rechnen sind.
Was die Verbreitung des Lemmings auf der Kola-
Halbinsel anbetrifft, so kann man a priori die Behauptung aussprechen, dass er diejenigen Theile der Eismeerküste und des angrenzenden Theiles des inneren Landes
bewohnt, die mit Birken- und Weidengebüsch bewachsen
sind und folglich der *Regio subalpina* angehören. Von
dem bewaldeten, südlicheren Theile der Halbinsel kann
man direct behaupten, dass der Lemming alle Berge und
Gebirgszüge dieser Region bewohnt, die mit ihrer Spitze
über die Nadelholzregion hinausragen und den Localna-
men «Tundren» tragen. Während seiner Wanderungen ist
er wohl in den meisten Theilen der Halbinsel zu finden.
Diese Voraussetzungen bestätigen sich sehr gut durch die
Beobachtungen verschiedener Forscher, die Lapland bereist haben. So bewohnt der Lemming im westlichen Theile
der Halbinsel, in der Nähe der schwedischen und norwegischen Grenze, das lapländische Bergplateau und besonders dessen Spitzen, wie den Pallas- und Aunastunturi
[Wolley (68)]. Von diesen Gebirgen aus besuchen die Lemminge während ihrer Wanderungen die Flussgebiete des
Muonio, Torneå und Kemi in südlicher Richtung [nach
Wolley (68), Ehrström (64), Martins (44) und Fellman (90)], oder begeben sich nach Norden, an die Gestade
des Eismeeres und erscheinen dann in den Ortschaften Karesuando, Kautokeino, Bosecop, Talvig, bis zum Nordcap hinauf [nach Wolley (68), Martins (44), Malm (62),
Keilhau (30)]. In Enontekis, Utsjoki und Enare, so
wie an den Ufern des Varanger-Fjordes erscheint der

Lemming ebenfalls während seiner Wanderungen [nach
Grape (21ª), Fellman (90), Malm (56, 62), Schrader
(65)]. Am Imandra-See bewohnt der Lemming ohne Zweifel
die Gebirgsketten, welche diesen See einfassen: in östlicher
Richtung die Umpdück-Tundra oder die sogenannten
Chibinschen-Berge, welche im Süden in die Plessowaja-,
Shelesnaja- und Wolossnaja-Tundra auslaufen; im
Westen dagegen sind es die Montscha-, Tschuni-,
Woltschja-Tundra, so wie nördlich davon die Olenji-
Gori, welche dem Lemming eine Heimath gewähren können.
Keiner der Forscher, welche Lapland besucht haben, hat
in den verzeichneten Gegenden den Lemming gefunden, doch
giebt es einige indirecte Beweise, welche die Richtigkeit
unserer Annahme bestätigen. Am Fusse der Chibinschen
Berge erhielt ich die ersten zwei Exemplare des Lemmings
und beobachtete ihn ferner mehrmals auf dem Wege nach
Kola, und zwar bei Kürenga, am Nordende des Imandra,
bei Masselga und am Flusse Kola. Alle diese Exemplare
bewegten sich in der Richtung von den Chibinschen
Bergen nach Kola und bestätigten daher die Annahme,
dass sie früher auf den Chibinschen Bergen gelebt hatten. Die Beobachtungen des Herrn v. Middendorff (55)
bestätigen unsere Vermuthungen ebenfalls in hohem Grade.
Auf seinem Abstecher durch Lapland hat Hr. v. Middendorff den Lemming von Kola bis zum Imandra-See und
ferner südlich von demselben, bei Kandalakscha angetroffen.
Auf den Chibinschen Bergen und den Olenji-Gori,
welche Hr. v. Middendorff bestiegen hat, traf er denselben
jedoch nicht an. Dieser Umstand erklärt sich meiner Ansicht
nach dadurch, dass die Lemminge die Chibinschen Berge,
sowie auch die Olenji-Gori bereits verlassen hatten und
sich auf der Wanderung befanden, während sie früher die

bezeichneten Gebirge und wahrscheinlich auch die benachbarten bewohnen. In der Umgegend von Kola ist der Lemming während seiner Wanderungen sehr häufig (kann auch wohl ständig vorkommen) und ist ausser von mir noch von Oseretzkowski (23), v. Middendorff (55) und v. Baer (50) beobachtet worden, die ihn auch weiter, längs dem Kola-Busen, in der Motowskischen Bucht und auf der Insel Kildin gefunden haben. Weiter östlich ist er von Lilljeborg (60) an der Bucht Schuretzkaja, von Baer (50) bei Tri-Ostrowa und von den Gebrüdern Aubel (79) in Loparskoje Sselenje, gegenüber der Insel Ssossnowetz, gefunden worden. Der Fund des Akad. v. Baer bei Tri-Ostrowa, wo mit genauer Noth sechs Exemplare des Lemmings aufgetrieben wurden, beweist zur Genüge, dass zur Zeit, wenn keine Wanderungen stattfinden, das Thier ziemlich vereinzelt vorkommt und nicht leicht zu erhalten ist. Auf dem Terskischen Ufer wird das Thierchen bei Ponoj[1]) in der Höhe des Meeresspiegels zu finden sein, während weiterhin längs diesem und dem Kandalakskischen Ufer dasselbe wohl nur auf den Bergen in der *Regio subalpina* vorkommen dürfte[2]).

Die dicke Schicht von Moosen und Flechten, welche in der Heimathszone des Lemmings den Boden bedeckt, erleichtert dem Thierchen in hohem Grade die Einrichtung

---

1) Diese Vermuthung hat sich neuerdings bestätigt, da ich im Museum der Akademie der Wissenschaften ein Exemplar gefunden habe, das Alex. v. Schrenck bei Ponoj gesammelt hat.

2) Lilljeborg (60) berichtet, dass eine Schaar von Lemmingen sich einmal bei Archangelsk gezeigt haben soll. Meiner Ansicht nach ist dieser Fall sehr möglich, doch glaube ich, dass wenn Lemminge sich so weit nach Süden und in's Flachland verlaufen, dieselben eher dem *Myodes obensis* Pall. angehören dürften, da ihre Heimath von Archangelsk durch kein Meer getrennt wird.

seiner Wohnung. In dieser Schicht braucht der Lemming
nur Gänge auszufressen, die in das Innere der Erde nicht
eindringen, aber unter und zwischen den Wurzeln der
Sträucher, namentlich der *Betula nana*, ihren Verlauf nehmen. Die beste Beschreibung des Baues der Lemminge finden
wir bei Martins (44), doch ist derselbe nicht ganz sicher,
ob die Ausfütterung des Baues vom Lemming, oder von einer
Arvicola-Art ausgeführt ist. Nach Martins' Beschreibung
führt das Eingangsloch in eine Galerie, die sich später in
zwei Arme theilt, deren jeder eine Länge von etwa 8 De-
cimetern hat; von den beiden letzteren theilt sich ein
Arm wieder dichotomisch. Ein Ausgang bildet die Regel,
zwei oder drei finden sich nur selten vor. Fast alle diese
Baue befanden sich entweder unter Mooshügeln, oder unter
verfaulten Baumstubben, die mit einer Moos- oder Flechten-
schicht bedeckt waren. In einem der eben beschriebenen
Lemmingsbaue fand Martins auch ein cylinderförmiges
Nest, von 18 Centimeter Länge und 8 Centimeter Breite,
welches den Bau vollständig ausfüllte und unten dicker
war als oben. In der Richtung der Oeffnung des Baues
befand sich im Cylinder des Nestes ebenfalls ein rundes
Eingangsloch. Dieses Nest bestand aus Stengeln einer Gra-
minee, die in dem oberen Theile der Länge nach, in dem
unteren dagegen der Quere nach gelegt waren. Zwischen
diesen Stengeln befanden sich Stücke von *Cenomyce rangife-
rina*, *C. pyxidata*, *Cladonia deformis*, *Stereocaulon tomento-
sum*, einige Blätter der *Betula nana*, sowie einige Zweige
von *Empetrum nigrum* und von einer *Vaccinium*-Art. Nach
Collet (88) sind die Baue des Lemmings häufig mit seinen
eigenen Haaren ausgefüttert; Martins hat in einem Neste
auch trockene Blätter als Unterlage gefunden. Da Martins in zwei solchen Bauen auch deren Einwohner ange-

troffen. hat, so sind wohl seine früher erwähnten Zweifel unbegründet und kann man mit einiger Gewissheit annehmen, dass die beschriebenen Baue wirklich dem Lemming gehören. Die Beschreibungen der Baue, die wir bei anderen Schriftstellern, wie Ol. Wormius (5), Linné (10), Leem und Gunner (16), Oseretzkowski (23), Söderhjelm (31), Littorin (36), Wright (41), Wolley (68) und Collett (88), finden, stimmen vollkommen mit der Beschreibung von Martins überein und brauchen daher nicht weiter berücksichtigt zu werden. Wichtig dagegen erscheint mir eine Prüfung der Ansicht des Hrn. v. Middendorff, welcher die Gänge, die sich an den Stellen in der Waldregion vorfinden, wo Lemmingswanderungen stattgefunden haben, für die Baue der Thiere ansieht und nicht zugiebt, dass diese Pfade während der Wanderung ausgetreten sind. In dem Letzteren hat er ohne Zweifel Recht, da die Lemminge, trotz ihrer ungeheuren Anzahl, doch nicht im Stande sind dergleichen Pfade einzutrampeln; seine erstere Meinung möchte ich hingegen für unrichtig erklären, da meiner Ansicht nach die Lemminge nur in ihrer eigentlichen Heimath, nämlich in der *Regio subalpina*, Baue anlegen, während der Wanderung aber sich keine solchen bereiten, weil sie nur kurze Zeit an den einzelnen Orten verweilen. Die Gänge, die Hr. v. Middendorff gefunden hat, gehörten meiner Ansicht nach irgend einer *Arvicola*-Art; wenigstens habe ich in Lapland ganze Labyrinthe solcher Gänge in der Waldregion gefunden, die aber immer einer *Arvicola*-Art angehörten.

In den eben beschriebenen Wohnungen verbringen die Lemminge auch den Winter, ohne in einen Winterschlaf zu verfallen. Obgleich Hr. v. Middendorff (82) die Frage noch für offen erklärt, ob beim Lemming nicht eine zeitweilige Ruhezeit, ein «Winterschlummer» eintrete, so sind doch alle skandinavischen Forscher darin einig, dass seine Thätigkeit im Laufe des ganzen Winters nicht aufhört. Die Lemminge graben unter dem Schnee Gänge, versehen dieselben mit Luftlöchern und nähren sich während dieser Zeit ausschliesslich von denjenigen Pflanzenstoffen, die sie um ihre Wohnung herum unter dem Schnee antreffen. Von einem Zusammentragen von Wintervorräthen weiss Niemand etwas zu berichten, und ist auch mit Gewissheit anzunehmen, dass solches nicht stattfindet. Martins (44) und Schmidt (61) sind die einzigen, welche behaupten, dass der Lemming gegen Kälte besonders empfindlich sei und eine Temperatur von nur wenigen Graden unter dem Gefrierpunkte nicht ertragen könne. Martins will dieses an seinen gefangenen Exemplaren beobachtet haben, die immer umkamen, sobald sie die Nacht unter freiem Himmel zubrachten. Schon Hr. v. Middendorff (82, p. 1109) weist sehr richtig darauf hin, dass die Kälte unmöglich der Grund des Unterganges der Thiere gewesen sein könne, dass vielmehr eine andere Ursache ihrem Tode zu Grunde gelegen habe. Meiner Ansicht nach haben sich die Thiere einfach todtgebissen, und zwar aus dem Grunde gerade in der Nacht, weil sie nur während derselben thätig sind. Was letztere Annahme anbetrifft, so stimmen die Ansichten von Rycaut (9), Söderhjelm (31), Byström (34), Zetterstedt (42), v. Middendorff (55), Wolley (68), Guyon (71), Crotsch (84) und Collett (80) mit derselben vollkommen überein; Brehm (75) glaubt hingegen, dass der Lemming auch am Tage thätig sei. Ich will damit durchaus nicht behaupten, dass man den Lemming am Tage nie zu Gesichte bekommen könne, zumal ich selbst einen bei Kurenga am Imandra bei Tage beobachtet habe,

doch glaube ich, dass er am Tage nur dann seinen Ruhe-
platz verlässt, wenn er aus demselben aufgeschreckt wird,
regelmässig aber in der Nacht auftritt. So habe ich während eines wöchentlichen Aufenthaltes auf der Station Masselga am Kolosero keinen einzigen Lemming gefunden,
obgleich daselbst nächtliche Wanderungen desselben stattfanden, da ich während der Fahrt auf dem Kolosero am
frühen Morgen vier frische, ertrunkene Lemminge auffing.
Auf der grossen Taibola, zwischen der Station Kitzä
und dem Flusse Kola, beobachtete ich in der Nacht eine
ziemlich bedeutende Wanderung des Lemmings, während
ich im Laufe des Tages in den benachbarten Gegenden
auch nicht-einen auftreiben konnte. In der Stadt Kola,
wo es während meines Aufenthaltes daselbst von Lemmingen wimmelte, verbargen sich dieselben im Laufe
des Tages hauptsächlich unter den gedielten Stegen für
Fussgänger (мостки) und erschienen nur beim Beginn der
Abenddämmerung. Da ich den Wunsch hatte, lebende Lemminge nach St. Petersburg zu bringen, so brachte ich die
ganze baarfüssige Jugend der Stadt Kola auf die Beine,
um mir welche zu verschaffen. Trotz des sehr hohen
Preises, den ich bot, wurde mir aber nur ein einziger
Lemming im Laufe einer Woche gebracht, weil die Jungen
nur am Tage ihre Jagd betrieben und daher die Lemminge nicht fanden; um die Zeit aber, wann die Lemminge
ihre Schlupfwinkel verlassen, schlief schon die von mir
beauftragte Jugend. Später, als der Lemming auch in der
Stadt selbst in grosser Menge auftrat, habe ich mit Leichtigkeit ein halbes Dutzend dieser Thiere selbst gefangen,
jedoch alle in der Nacht.

Was das Futter des Lemmings anbetrifft, so stimmen
alle Forscher darin überein, dass der Lemming herbivor ist,

und nur Rycaut (9) fügt seiner Nahrung auch Insecten bei.
Sein hauptsächlichstes Futter besteht aus Moosen und Kätz-
chen der *Betula nana*; ausserdem verschmäht er auch manche
Gramineen nicht. In der Gefangenschaft hat Guyon (71)
seine Thierchen mit Zwieback und Nüssen ernährt und nur
als Zulage Moose gegeben, von denen er einen Vorrath aus
Norwegen mitgenommen hatte. Mit diesem Futter gelang
es ihm, eines der Thiere bis nach Paris zu bringen.

Obgleich die Fortpflanzungsgeschichte des Lemmings
in dem engsten Zusammenhange mit seinen Wanderungen
steht und von denselben schwer zu trennen ist, so halte
ich es doch für zweckmässiger, mit derselben die Uebersicht der Grundzüge der Lebensweise des Lemmings zu be-
schliessen, um die Darstellung seiner Wanderungen über-
sichtlicher zu machen. Die Fortpflanzung des Lemmings
kann in diesem Augenblicke noch nicht für genau bekannt
angesehen werden, da kein Forscher dieselbe in ihrem
ganzen Umfange hat beobachten können; nur die Zusammenstellung verschiedener Quellen giebt uns einen Begriff von derselben, ohne jedoch ein endgültiges Urtheil
zu ermöglichen. Nach Collett (88) unterscheidet sich die
Fortpflanzung in den Wanderjahren bedeutend von derjenigen ausserhalb derselben, und zwar sowohl durch die Anzahl der Jungen eines Wurfes, als auch durch die Anzahl
der Würfe. Schon Pallas (18) nahm nach Analogie mit
verwandten Thierarten mehrere Würfe in einem Jahre
an. Martins (44) giebt auf Grund der Beobachtungen
von Bravais an, dass die Lemminge zweimal jährlich
werfen, und zwar im Juli und October. Mir scheinen jedoch diese Termine durchaus nicht richtig zu sein, da der
erste Wurf viel früher und der zweite nicht so spät ein-
treffen muss. Auch nach Fellman (90) kommen zwei

Würfe im Jahre vor. Dasselbe bestätigt Lilljeborg (53), welcher achttägige Junge am 13. Juni und doppelt so alte am 7. August vorfand. Whellwright (78) fand im Juli halbwüchsige Junge, während ein Theil der Weibchen noch trächtig war und er häufig bemerkte, wie sie verschiedene Stoffe zur Herrichtung ihrer Nester herbeischleppten. Nach Crotsch (84) werfen die Lemminge 2 bis 3, ja sogar bis 4 Mal in einem Jahre. Nach Collett (88) endlich finden in der Regel zwei Würfe jährlich statt, in den Wanderjahren folgen sich aber die einzelnen Würfe schneller. Da in den Wanderjahren die klimatischen Verhältnisse günstiger sind als gewöhnlich, so ist wohl anzunehmen, dass die Lemminge sich in solchen Jahren früher paaren, früher den ersten Wurf zur Welt bringen und dadurch so viel Zeit erübrigen, dass ein (vielleicht auch mehr als ein) überflüssiger Wurf stattfinden kann. Was die Anzahl der Jungen in einem Wurfe betrifft, so hat Wormius (5) in einem Neste 9 (ausser den Alten), Rycaut (9) 7—8, Linné (10) 5—6, Gunner (16) 6—7, Martins (44) gewöhnlich 4, Fellman (90) 5—6 und Collett (88) in gewöhnlichen Jahren 5, zuweilen sogar nur 3, selten 7—8, in den Wanderjahren aber sogar 9 — 10 gefunden. Nach Collett's (88) Beobachtungen sind die Jungen des ersten Wurfes zum Herbst schon fortpflanzungsfähig. In der Regel findet der Wurf im Baue statt, doch war es schon den älteren Forschern, wie Wormius (5), Rycaut (9), Linné (10) und anderen, bekannt, dass die Lemminge auch während ihrer Wanderung werfen. Bei Wormius und Linné finden wir sogar eine Abbildung des Thieres, auf welcher der alte Lemming ein Junges im Maule trägt, während ein anderes ihm auf dem Rücken sitzt. Die Angaben über den Wurf während der Wanderung haben sich auch durch die neueren Forscher bestätigt, obgleich nicht viele dieses Factum beobachtet haben. So hat Ehrström (64) die neugeborene Brut in den Bauen gefunden, während die älteren Jungen der Mutter auf ihrer Wanderung folgten. Crotsch (84) und Collett (88) stimmen dieser Ansicht bei. Söderhjelm (31) dagegen hat unter den wandernden Lemmingen keine Jungen und keine trächtigen Weibchen gefunden, so dass er in Zweifel ist, ob die Paarung während der Wanderung erfolgt, oder die neugeborenen Lemminge in ihrer Heimath dem Schicksal überlassen werden, oder ob die Weibchen in den Wäldern niederkommen, ehe sie noch auf ihrer Wanderung in die Ebene gelangt sind. Jedenfalls hält es ziemlich schwer, sich einen Aufschluss darüber zu verschaffen, ob während der Wanderung regelmässig Würfe erfolgen, oder nur zufällig einzelne trächtige Lemmingsweibchen mit in den Strudel fortgerissen werden, besonders da nach der Angabe, von Collett (88) die bedeutende Mehrzahl der Wanderer aus Männchen besteht und ich unter allen Lemmingen, deren ich habhaft werden konnte, nur ein Weibchen erhalten habe.

In gewissen Jahren verlassen die Lemminge ihre Heimath in der *Regio subalpina*, steigen von den Bergen herab und verbreiten sich verhältnissmässig weit in der Ebene. Da diese Erscheinung sich weder alljährlich wiederholt, noch überhaupt nach gleichen Zeiträumen und unter gleichen Bedingungen auftritt, so ist anzunehmen, dass dieselbe nicht eine Nothwendigkeit im Leben des Lemmings ist, sondern durch zeitweilige Verhältnisse bedingt wird. Früher glaubte man, dass die Lemminge in 20—30 Jahren einmal wandern [Rycaut (9)], oder auch, dass dieselben alle 10 Jahre einmal [Pallas (18)] oder in 20 Jahren zweimal [Zetterstedt (27)] auftreten. Nach den neueren

Forschungen hat es sich erwiesen, dass bedeutendere Wanderungen nach sehr verschiedenen Zeiträumen stattfinden; doch glaubt Crotsch (84), dass durchschnittlich alle 4 Jahre der Lemming in bedeutender Anzahl wandert. Ich betone hier besonders den Umstand, dass bedeutendere Wanderungen in solchen Zwischenräumen stattfinden, da nach Collett (88) die Lemminge alljährlich wandern, jedoch in so engen Grenzen und in so geringer Anzahl, dass diese Wanderungen der Bevölkerung entgehen. Nur wenn die Anzahl der Wanderer bis in's Unglaubliche gestiegen ist, ereignet sich die Erscheinung, die so viele Fabeln und Theorien in's Leben gerufen ɥat. Bei Besprechung der Wanderungen des Lemmings müssen wir ferner die Frage beantworten, ob alle Lemminge ihre Heimath verlassen, oder ein Theil derselben zurückbleibt? Diese Frage ist aus dem Grunde von besonderem Interesse, weil sie am sichersten die Ansicht widerlegt, dass ein Instinkt die Thiere zur Wanderung treibt oder ein gewaltiger Wandertrieb sich ihrer bemächtigt. Man kann die Frage ohne Zögern dahin beantworten, dass unbedingt nicht alle Lemminge ihre Heimath verlassen, dass vielmehr ein Theil derselben bestimmt zurückbleibt. Die Richtigkeit dieser Ansicht lässt sich leicht beweisen. So behaupten Högström (13), Pallas (18) und Guyon (71), dass nach dem Aufbruche der Wanderer die Anzahl der Lemminge an ihren gewöhnlichen Aufenthaltsorten so gering sei, dass dieselben meist unbemerkt bleiben. Nicht weniger maassgebend ist auch der Umstand, dass die Mehrzahl der Wanderer Männchen sind. Wenn alle Lemminge ihre Wohnsitze verlassen würden, so wäre das Verhältniss der Anzahl der Männchen zu den Weibchen ein gleichmässigeres. Endlich würden die Lemminge einem vollständigen Untergange entgegengehen, wenn sie alle sich auf die Wanderung begeben würden, da nur in den seltensten Fällen anzunehmen ist, dass Lemminge von ihrer Wanderung heimkehren. Wenn wir durch diese Beweise die Ueberzeugung gewinnen, dass nicht alle Lemminge wandern, so müssen wir auch zugeben, dass unmöglich ein Instinkt oder Wandertrieb der Grund der Wanderung sein kann, da ein solcher sich nothwendig aller Individuen in gleicher Weise bemächtigen würde und sie folglich alle wandern müssten, was bestimmt nicht der Fall ist.

Ueber die Jahreszeit, in welcher die Wanderungen stattfinden, sind die verschiedenen Forscher durchaus nicht einig. So behauptet Söderhjelm (31), dass alle Wanderungen im Frühling stattfinden, während Martins (44) nur den Herbst als Wanderzeit bezeichnet. Wenn wir auch durch sichere Beobachtungen, wie diejenigen von Guyon (71), von manchen Frühlingswanderungen wissen, so müssen wir uns doch dahin entscheiden, dass die Mehrzahl derselben im Spätsommer und Herbst stattfindet. Nach Byström (34) verlassen die Lemminge ihre Heimath im Laufe des ganzen Sommers, nach Zetterstedt (27) im Laufe des Herbstes. Endlich haben sowohl Hr. v. Middendorff (82), wie auch ich dieselbe Beobachtung gemacht, dass nämlich im Sommer die Lemminge in den Ebenen Laplands fehlten, zum Herbst hin aber, ungefähr Anfang August, sich an vielen Stellen zeigten. Auf dem erhöhten Plateau zwischen Kengis und Muonioniska hat Martins (44) Anfang September den Beginn einer grossen Wanderung beobachtet. Aus diesen Angaben glaube ich den Schluss ziehen zu dürfen, dass im Laufe des Frühlings, Sommers und Herbstes keine genaue Zeit zu bestimmen ist, in welcher die Lemminge wandern, und diese Ansicht wird noch durch die Beobachtung von Collett (88) bekräftigt, welcher behauptet, dass in den Jahren der grossen Wanderungen die Lemminge im Laufe des ganzen Sommers ihre Heimath verlassen und eine Schaar der anderen folgt und sie im Flachlande einholt.

Nicht weniger wichtig als die Jahreszeit der Wanderungen ist auch die Frage über die Richtung derselben, namentlich insofern, als die ganze Theorie von Crotsch (84, 85, 86) darauf basirt ist, dass alle Lemminge in der Richtung nach Westen wandern. Es würde uns zu weit führen, wenn wir alle einzelnen Angaben über die Richtung der Lemmingszüge zusammenstellen wollten; auch würden wir damit dennoch kein genaues Resultat erzielen, da die Angaben aus verschiedenen Gegenden stammen und sehr leicht von localen Verhältnissen abhängen können. Daher will ich mich darauf beschränken, einige allgemeine Gesichtspunkte hinsichtlich der Richtung des Lemmingszuges geltend zu machen und deren Richtigkeit zu beweisen. Erstens müssen wir annehmen, dass der Lemming unter keiner Bedingung längs einem Bergrücken wandern kann, da er in diesem Falle nicht aus den ungünstigen Verhältnissen herauskommen, sondern in derselben *Regio subalpina* bleiben würde, in welcher ihm der Aufenthalt zeitweilig nicht zusagt. Hieraus folgt, dass der Lemming unbedingt längs den Abhängen der Gebirgsketten oder in der Richtung der Seitenthäler wandern muss. Dieser Ansicht stimmt auch Collett (88) bei, während Crotsch (86) das directe Gegentheil behauptet. In der Nähe des auf dem Ostabhange des Gebirges gelegenen Wohnsitzes dieses Letzteren wandern die Lemminge in der Richtung von Ost nach West und müssen folglich die Gebirgskette übersteigen, was unserer Ansicht vollkommen widerspricht. Hierbei ist jedoch nicht zu vergessen, dass ein solcher Zug (von O nach W) an einem Orte sehr wohl durch locale Verhältnisse bedingt sein kann, wobei aber die Lemminge den Gebirgsrücken dennoch nicht übersteigen, sondern in einiger Entfernung von dem Wohnsitze des Hrn. Crotsch ihre Richtung ändern. Oder es kann der Zugang zum Gebirgsrücken an diesem Punkte so leicht sein, dass die Lemminge es aus diesem Grunde vorziehen in dieser Richtung zu wandern. Ueber diese Umstände giebt uns aber Hr. Crotsch keine Auskunft. Wenn ich daher die Richtung des Lemmingszuges in der Nähe seines Wohnsitzes auch durchaus nicht bezweifle, so ist doch der Schluss, den er daraus zieht, dass die Lemminge diese Richtung beibehalten und den Bergrücken übersteigen, keineswegs einleuchtend. Um meine Ansicht genauer auszudrücken, genügt es, wenn ich sage, dass die Richtung des Lemmingszuges von der Richtung des Gebirgszuges abhängt, auf welchem der Lemming seinen Wohnort hat. Wenn sich dieser Gebirgszug von N nach S ausdehnt, so werden die Wanderungen annähernd die Richtung von O nach W oder von W nach O haben, wobei ein Abweichen der Zugrichtung nach Norden oder Süden durch die localen Verhältnisse bedingt sein wird. Die Richtigkeit dieser Ansicht wird dadurch bestätigt, dass im grössten Theile Skandinavien's die Lemminge genau in der eben angegebenen Richtung wandern, während im russischen und im benachbarten finnisch-norwegischen Lapmarken, wo der Gebirgszug die Richtung O — W annimmt, die Lemminge nach Norden und Süden ziehen. Dass in letzterer Gegend die Richtung der Wanderung wirklich so verläuft, bestätigen die Angaben von Martins (44) und Middendorff (55, 82), so wie auch meine eigenen Beobachtungen.

Die Lemminge sollen ihre Heimath längs allen Abhängen des Gebirges verlassen, und Söderhjelm (31) ist daher der Meinung, dass die von ihnen besetzte Linie genau die Contouren des Gebirges aufweist und sich von denselben nur durch die grössere Entfernung vom Centrum unterscheidet. Nach meinen Beobachtungen kann man jedoch annehmen, dass die Lemminge gewisse Wanderstrassen haben, die sie den anderen vorziehen. Während ich im Jahre 1880 zugleich mit einer Wanderung von Lemmingen mich vom Imandra-See nach Kola begab, waren dieselben trotz ihrer Menge an manchen Stellen nicht zu finden. So suchte ich während der Passage der grossen Taibola zwischen der Station Kitzä und dem Flusse Kola, welche ich im Laufe der Nacht zurücklegte, überall vergeblich nach Lemmingen und fand dieselben auf der ganzen Strecke von 18 Werst nur an einer Stelle. Diese Stelle, die auf der 12. Werst lag und mir auch schon von den Lapländern als ein Ort bezeichnet wurde, wo sich Lemminge gezeigt hätten, war ungefähr $\frac{1}{2}$ Werst breit; weder vor, noch nach derselben habe ich auch nur einen Lemming auftreiben können. Aus dieser Beobachtung glaube ich den Schluss ziehen zu dürfen, dass auf der 12. Werst dieser Taibola sich eine der Wanderstrassen des Lemmings befand, doch wage ich durchaus nicht zu entscheiden, ob dieselbe ganz zufällig erwählt war, oder während aller Wanderungen benutzt wird. Das erstere scheint mir wohl richtiger zu sein. Der Grund dazu, dass der Lemming sich während seiner Wanderungen an solche Strassen hält, könnte vielleicht darin zu suchen sein, dass das Gebirge, von welchem er herabsteigt, an einigen Stellen vollkommen unzugänglich ist und ihn dadurch zwingt einen Umweg zu machen und an einer anderen Stelle, in Gemeinschaft mit den dort ansässigen Lemmingen, herabzusteigen. Wenn nun diese Schaar die Richtung beibehält, in welcher sie vom Gebirge herabgestiegen ist, so wird gerade in dieser

Richtung eine Wanderstrasse der Lemminge entstehen, während an den beiden Seiten, die den unzugänglichen Stellen des Gebirges entsprechen, die Lemminge vollkommen fehlen werden.

Den Beginn, so zu sagen die ersten Züge der Wanderung hat Söderhjelm (31) beobachtet. Seinem Berichte entnehmen wir, dass die Thierchen einzeln, zerstreut ihre Heimath verlassen, dass aber verschiedene Hindernisse die ersten Reihen aufhalten, diese dann von den Nachfolgenden eingeholt werden und auf diese Weise grössere Schaaren sich bilden. Von diesen wandernden Lemmingsschaaren berichten so viele Naturforscher, dass deren Aufzählung überflüssig ist; manche, wie z. B. Pontoppidan (14), gehen so weit, zu behaupten, dass die Stellen, wo die Lemminge in unglaublichen Massen passirten, wie aufgepflügt sind. Meinen Beobachtungen zufolge ist die Anzahl der Lemminge in den wandernden Schaaren wohl sehr bedeutend, doch habe ich die Wanderer durchaus nicht dichtgedrängt gefunden und stimme daher mehr mit den Beobachtungen von Rycaut (9), Linné (10) und Zetterstedt (27) überein, laut welchen die einzelnen Lemminge einer Schaar wohl alle in einer und derselben Richtung wandern und daher als zu derselben Schaar gehörig angesehen werden können, jedoch jeder Lemming in einer gewissen, zuweilen ziemlich beträchtlichen Entfernung von dem anderen seinen Weg einschlägt. Den Lemmingszug beobachtete ich, wie schon früher angegeben, auf der 12. Werst der grossen Taibola zwischen der Station Kitzä und dem Flusse Kola und machte dabei folgende Beobachtungen. Auf einer Entfernung von einer halben Werst längs dem Wege konnte man fortwährend mehrere Lemminge hören, die alle in derselben Richtung liefen und den Weg kreuzten. Schon in einiger Entfernung hörte man auf der rechten Seite des Weges das leise Pfeifen des herannahenden Lemmings, welcher dann schnell über den Fusssteg huschte und auf der anderen Seite des letzteren in derselben Richtung seinen Weg fortsetzte, wobei er immer leise pfiff. Doch war das Pfeifen des einen Lemmings noch immer hörbar, während sich von der rechten Seite des Weges abermals eines oder mehrere der Thierchen hören liessen, die sich dem Wege aus derselben Richtung näherten. Zuweilen konnte man ganz deutlich vernehmen, wie die Lemminge sich auf ihren Wegen begegneten; das Pfeifen wurde lauter, man vernahm das leise Bellen und Knurren der Thiere, es entstand ein kleiner Kampf, worauf beide Kämpfer ihren Weg in der früheren Richtung fortsetzten. In Folge dieser Kämpfe, die sie bei Begegnungen ausführen, halten sie wohl absichtlich darauf, in einiger Entfernung von einander und nicht in dichten Haufen zu wandern. In grössere Schaaren sammeln sie sich dort an, wo sie auf grössere Hindernisse stossen, z. B. an den Ufern der Flüsse und Seen.

Viel, unendlich viel ist darüber geschrieben und gefabelt worden, dass der Lemming durch keine Hindernisse von dem geraden Wege abzubringen sei. Wie gesagt, Vieles in diesen Angaben ist übertrieben, Vieles aber auch ganz richtig, da der Lemming einen wahnsinnigen Muth besitzt und nur in den seltensten Fällen die Flucht ergreift, gewöhnlich aber geradezu mit dem Kopfe gegen die Wand rennt. Ich kann unmöglich auf die Auseinandersetzung seiner einzelnen Heldenthaten eingehen und glaube das Richtige zu treffen, wenn ich das Betragen des Lemmings bei Begegnung mit verschiedenen Hindernissen theils nach eigenen Beobachtungen, theils nach litterarischen Angaben schildere.

Tritt ein Mensch dem Lemming in den Weg, so sucht er sich in der Regel durch die Flucht zu retten und irgend einen Schlupfwinkel zu erreichen. Als solche dienen Mooshügel, Büsche von *Betula nana* etc. und an bewohnten Orten hauptsächlich die gedielten Stege für Fussgänger, unter welchen sich der Lemming mit ganz besonderer Vorliebe versteckt. Sieht aber der fliehende Lemming, dass er von seinem Verfolger erreicht wird, so dreht er sich mitten im Laufe um, erhebt sich auf die Hinterbeine, wirft den Kopf zurück und beginnt seinen Angriff auf den Feind. Er pfeift laut, nach Art der Ziesel, knurrt grimmig, bellt endlich wie ein junger Hund und wirft sich fauchend auf den Gegner. Die Sprünge, welche der Lemming dabei macht, erreichen fast die Kniehöhe eines erwachsenen Menschen, und gelingt es dem Lemming, sich in einen Stock oder in die Kleider einzubeissen, so ist er nur mit Mühe abzuschütteln. Um das Thier vollständig zu beruhigen, genügt es aber sich aufzurichten und den Anschein zu geben, als wenn man es nicht weiter beachte. Das Thierchen benutzt solche Augenblicke unverzüglich, um sich wieder in die schleunigste Flucht zu begeben, bleibt jedoch immer bereit, sein früheres Manöver anzuwenden, wenn der Verfolger Miene macht ihm nachzueilen. Auf dieselbe Art begegnet der Lemming auch Hunden und anderen Thieren, wobei er natürlich meist umkommt. Diese Eigenschaft ist nach meiner Ansicht die Ursache davon, dass man so viele von Hunden todtgebissene Lemminge findet, obgleich die Hunde den Lemming in der Regel nicht fressen. So hat mein Hühnerhund, welcher mit den *Arvicola*-Arten in gutem Einvernehmen lebte, manchen Lemming erwürgt, und zwar nur um sich vor den Angriffen des wüthenden Thierchens zu schützen. Wenn natürliche

Hindernisse sich den Lemmingen entgegenstellen, so weichen diese in den seltensten Fällen, sondern suchen mit Gewalt vorwärts zu kommen. Selbst die reissendsten Ströme, wie der Kola-Fluss, halten die Lemminge auf ihrer Wanderung nicht auf. Der Lemming ist ein ausgezeichneter Schwimmer und setzt bei Windstille mit ziemlicher Leichtigkeit über breite Seen, obgleich es oft vorkommt, dass einzelne oder ganze Massen dabei ersaufen. Martins (44) stellte Versuche mit dem Lemming an, um dessen Fertigkeit im Schwimmen beurtheilen zu können: er warf zu diesem Zwecke die Thiere in der Mitte des Muonio-Flusses in's Wasser und überzeugte sich, dass alle Exemplare das Ufer erreichten. Beim Uebersetzen über die Seen sollen sie sich dichter an einander schliessen, so dass die Köpfe der nachfolgenden auf die Rücken der vorderen zu liegen kommen, um sich dadurch das Schwimmen zu erleichtern. Meiner Ansicht nach bedarf diese Mittheilung noch der Bestätigung. Söderhjelm (31) berichtet die höchst interessante Beobachtung, dass die Lemminge während ihrer Wanderung sehr viel Ueberlegung beweisen. Die Thierchen sollen sich nämlich in schmälere Seen unverzüglich hineinstürzen, an den Ufern der grösseren dagegen erst eine Weile längs dem Ufer umherlaufen, ehe sie sich entschliessen, sich in die Fluthen zu werfen. Wahrscheinlich suchen sie erst, ob nicht an den Ufern irgend ein Ausweg zu finden ist, und werfen sich nur dann in das Wasser, wenn sich kein solcher vorfindet. Ihre Tollkühnheit tritt auch in den Fällen sehr deutlich zu Tage, wenn sie in reissenden Strömungen ihren Untergang finden. Selbst in den Augenblicken, wenn die Thiere schon vom Strudel fortgerissen sind, ertönt ihr wüthendes Pfeifen und Bellen. Trotz ihrer Fähigkeit zum Schwimmen und trotz ihres Muthes finden doch eine Menge von Lemmingen den Tod in den Wellen, und sehr oft findet man am frühen Morgen ganz frische auf den Wellen treibende Lemminge, die während ihrer Wanderung in der verflossenen Nacht ihren Tod gefunden haben.

Wenn wir die Erscheinung der Lemmingswanderungen in ihrem ferneren ·Verlaufe betrachten, so tritt uns natürlich die Frage entgegen, womit eine solche Wanderung endigt? Sobald die Lemminge ihr eigentliches Wohngebiet, die *Regio subalpina*, verlassen haben, können sie aus dem Grunde keine Ruhe finden, weil keine der übrigen Pflanzenzonen ihren Bedürfnissen entsprechen kann. Sie setzen ihre Wanderung immer weiter fort, ihre alte Heimath oder einen Ersatz für dieselbe suchend, und werden auf dieser Suche durch zwei verschiedene Umstände aufgehalten: entweder erreichen sie das Meer, oder der Winter bricht an. Ersteres ist für unsere muthigen Thiere kein Hinderniss, da sie gewohnt sind ungestraft über Flüsse und Seen zu setzen. Sie warten nur einen windstillen Tag ab und suchen darauf das ihnen in den Weg gekommene Gewässer zu durchschwimmen, um ihre Suche jenseits desselben fortzusetzen, wobei sie aber natürlich bis auf den letzten umkommen. An passenden Orten mag es wohl vorkommen, dass die Lemminge benachbarte Inseln, wie z B. Kildin, erreichen, aber dann kommen sie entweder hier um, oder werfen sich wieder in's Meer und entrinnen so ihrem Schicksale nicht. Ich nehme mit Gewissheit an, dass an den Stellen, wo die Lemmingszüge das Meer erreichen, alle ohne Ausnahme umkommen. Anders verhält sich meiner Ansicht nach die Sache, wenn die Lemminge vom Winter aufgehalten werden. Dann verbringen sie denselben an dem Orte, wo sie überrascht wurden, unter dem Schnee, worauf sie im Frühling schon in bedeutend geringerer Menge entweder zurückwandern, wie es von manchen Forschern beobachtet worden ist, oder sich wiederum vermehren und dann die Wanderung bis in das dritte Jahr ausdehnen, wie uns Collett (88) berichtet.

Mit dem Endresultate der Wanderung ist natürlich die Frage eng verbunden, ob die Lemminge zu ihren Wohnsitzen zurückkehren? Durch die eben ausgesprochenen Ansichten glaube ich deutlich gezeigt zu haben, dass nur in dem letzten Falle eine Rückwanderung überhaupt möglich ist. Ob· sie aber dabei regelmässig stattfindet, wage ich nicht zu entscheiden, da nur drei Beobachter, Högström (13), Söderhjelm (31) und Wheelwright (78), mit Bestimmtheit von derselben sprechen. Jedenfalls ist hierbei der Umstand nicht zu vergessen, dass die Anzahl der zurückwandernden Lemminge meist verhältnissmässig so gering ist, dass die Rückwanderung nur bei besonders günstigen Verhältnissen deutlich wahrzunehmen ist. Ausser den drei Forschern, welche die Rückwanderung beobachtet haben, hält noch v. Middendorff (82) dieselbe für möglich, während andere, wie z. B. Guyon (71), entschieden die Meinung aussprechen, dass der Lemming nie wiederkehre. Die Möglichkeit der Rückwanderung hängt meiner Ansicht nach von der topographischen Beschaffenheit des Landes ab: in den Fällen, wo die Beschaffenheit des Landes derartig ist, dass die Lemminge bis zum Meer gelangen, findet keine Rückwanderung statt; wo aber das Meer für die Lemminge zu weit entfernt ist, oder der Zutritt zu demselben unmöglich ist, kann eine Rückwanderung stattfinden, lässt sich jedoch schwer nachweisen.

Es bleibt mir noch die Schilderung einzelner Eigenschaften des Lemmings übrig, die ich der Vollständigkeit halber nicht weglassen möchte, da manche derselben, wie ich glaube, auch bei der Entscheidung der Frage über die Ursachen der Lemmingszüge sehr wesentlich in Betracht kommen. So betritt der Lemming nie ein Haus. Diese Behauptung ist schon von Scheffer (7), Rycaut (9), Linné (10), Martins (44) und anderen ausgesprochen worden, und ich kann nur bestätigen, dass während meines Aufenthalts in der Stadt Kola die Lemminge daselbst zwar sehr zahlreich waren, doch niemals in die Häuser kamen, sondern meist auf den Strassen unter den gedielten Fussstegen lebten.

Was den Schaden anbetrifft, welchen der Lemming bei seinem Auftreten in Massen verursacht, so kann von demselben überhaupt nur in den Gegenden die Rede sein, wo Ackerbau getrieben wird. Dort muss natürlich der Schaden ein sehr bedeutender sein. Da jedoch der grösste Theil der Heimath des Lemmings in solchen Gegenden liegt, wo der Ackerbau ganz und gar nicht betrieben wird, so kann der Lemming überhaupt nicht zu den schädlichen Thieren gerechnet werden. Wenn der alte Wormius (5) demselben stark zu Dache steigt und die bösen Pestilenzen gar sehr hervorstreicht, welche die Lemmingscadaver verursachen sollen, so ist diese Meinung doch nur ein Aberglaube. Zwar berichtet auch Söderhjelm (31), ein unbedingt gewissenhafter Berichterstatter, von einem Falle, wo in der Nähe eines Pastorats die todten Lemminge vergraben werden mussten, da sie die Luft verpesteten; doch ist es damit nicht so schlimm. Namentlich im russischen Laplande giebt es keine so feinwitternden Menschen, denen ein solcher Geruch unbequem wäre, und durchgängig stinkt die Bevölkerung so stark nach faulem Stockfisch oder Thran, dass selbst die feinsten Nasen den Geruch der faulenden

Lemminge, und wenn es deren Tausende wären, nicht herauszufinden vermöchten.

Der Balg des Thieres ist ganz werthlos, so dass der Lemming an und für sich keinen Nutzen bringt, da er nur von einzelnen verarmten Lapländern verspeist werden soll. Letztere Angabe, die auch Brehm (75) wiederholt, halte ich übrigens für wenig glaubwürdig, da der alte Aberglaube auch jetzt noch vorhanden ist, dass der Lemming giftig sei, so dass nur wenige Eingeborene sich entschliessen das Thier anzufassen. Aber wenn der Lemming der Menschheit auch keinen directen Vortheil gewährt, so leistet er ihr doch indirect einen grossen Dienst. In den Jahren nämlich, in denen der Lemming wandert, werden die verschiedenen Raubthiere, die meist kostbares Pelzwerk liefern, in bedeutend grösserer Menge erbeutet als gewöhnlich. Sie folgen den Zügen des Lemmings, kommen daher aus ihren Schlupfwinkeln hervor und werden dann viel leichter und zahlreicher erbeutet. Auf diese Weise gelangen Bären, Wölfe, Füchse, Eisfüchse, Vielfrasse, Marder, Hermeline etc. in die Hände der Menschen. Der Unterschied zu Gunsten des Ertrages eines solchen Jahres soll so gross sein, dass die Leute in Lapland es für eine Wohlthat halten, wenn eine Lemmingswanderung losbricht. Ausser den Raubthieren folgen den Lemmingszügen auch Raubvögel, namentlich Eulen und *Archibuteo lagopus* Brünn., ausserdem auch Möwen und *Lestris*-Arten. Auch das Renthier soll sich aus dem Lemminge eine Delicatesse machen. Dieser Gegenstand ist jedoch schon so oft und so ausführlich behandelt und bestätigt worden, dass ich mich darauf beschränke eine Mittheilung Linné's (10) anzuführen, laut welcher die zahmen Renthiere den Lemming so eifrig verfolgen, dass sie sich bisweilen zu weit verlaufen und den Rückweg nicht mehr finden.

Einen merkwürdigen Zug aus dem Leben des Lemmings theilt Scheffer (7) mit. Dieser Forscher berichtet nämlich, dass die Lemminge in ihrer Heimath erbitterte Kämpfe unter sich ausführen, wobei sie sich nach Art der kämpfenden Heere in zwei Lager theilen. Bei den Lapländern war sogar der Aberglaube verbreitet, dass diese Kämpfe der Lemminge eine Kriegszeit für Schweden verkündeten, und zwar wurde der Feind auf die Weise bestimmt, dass wenn die Lemminge aus dem Osten erschienen, der Kampf mit Russland losbrechen sollte, wenn aber aus dem Westen, eine der westlichen Mächte gegen Schweden vorgehen würde. Auch Martins (44) behauptet in aller Kürze, dass solche Kämpfe zwischen den Lemmingen sehr möglich seien. Eben so erzählt Lloyd (66), auf die Autorität von Régnard hin (dessen Arbeit mir leider unbekannt geblieben ist), dass solche Kämpfe vorkommen. Zur Zeit wage ich es durchaus nicht, ein Urtheil in dieser Angelegenheit zu fällen, glaube aber ganz besonderes Gewicht auf die Beobachtungen von Martins (44) und Guyon (71) über den Lemming in der Gefangenschaft legen zu müssen. Diese Beobachtungen stimmen mit den meinigen vollkommen überein und sind bei Erklärung der Ursachen der Lemmingswanderungen von hervorragender Wichtigkeit. Beide Forscher berichten nämlich, dass die Lemminge sehr bissiger und unverträglicher Natur sind, namentlich unter sich. Nach Martins (44) lebten nur die Insassen eines Nestes im Frieden mit einander; wenn aber zwei fremde Lemminge zusammen gesteckt wurden, so entspann sich sogleich ein erbitterter Kampf zwischen denselben, der mit dem Tode eines der Kämpfer endigte. Guyon (71) hält es sogar für möglich, dass die Lemminge einander auffressen.

Ich selbst hatte die grösste Lust, lebende Lemminge nach St. Petersburg zu bringen, und richtete ihnen in Kola zu diesem Zwecke einen geräumigen Käfig ein. Doch kaum hatte ich vier Stück zusammen gesteckt, als der Kampf losbrach, so dass mir schliesslich nur ein Thier übrig blieb, das aber auch an den Folgen der Kämpfe zu Grunde ging. Ferner muss ich an dieser Stelle wiederholen, dass ich auch Kämpfen beigewohnt habe, welche während der Lemmingswanderung beim Zusammentreffen zweier Thierchen stattfanden. Die Erklärung dieser Eigenschaft und ihre Beziehung zu der Erscheinung der Wanderung unseres Thieres werde ich später besprechen, jetzt will ich mich auf das Gesagte beschränken und nur noch einer Eigenthümlichkeit des Lemmings erwähnen. Crotsch (84) und Collett (88) haben bemerkt, dass bei den Lemmingen ein Theil des Rückens von Haaren entblösst ist. Ersterer erklärt diese Erscheinung dadurch, dass die Lemminge das Fell an den bezeichneten Stellen durch häufiges Aufsitzen auf die Hinterbeine abreiben. Collett hingegen glaubt darin die Aeusserung einer Epizootie zu sehen, welche in Folge der überaus grossen Lemmingszahl entstehen soll. Auch sollen solche entblösste Stellen von Tuberkeln bedeckt sein. Ueber dieses Factum kann ich durchaus keine Aufklärung geben, da alle von mir gefangenen Lemminge gleichmässig mit Haar bedeckt waren. Sehr möglich ist es, dass solch' eine Epizootie sich zum Ende der Wanderung einstellt und daher von mir nicht bemerkt werden konnte, indem ich nur den Anfang der Wanderung beobachtet habe.

Die übrigen Züge des Lemmingslebens übergebe ich mit Stillschweigen, einerseits weil über unser Thier vieles Unbegründete geschrieben worden ist, andererseits aus dem Grunde, weil die übrigen Eigenschaften desselben auf den

eigentlichen Zweck der Abhandlung, nämlich die Erklärung
der Wandererscheinung, keinen Bezug haben.

Nachdem wir uns mit der Lebensweise des Lemmings
genügend vertraut gemacht haben, können wir nun zum
zweiten Theile der Arbeit übergehen, und zwar die verschiedenen Deutungen der eben beschriebenen Wandererscheinungen bei den Lemmingen kritisch betrachten.

Die ersten Nachrichten über den Lemming finden sich
bei Olaus Magnus (1 und 4), welcher die unter den skandinavischen Einwohnern in damaliger und auch in späterer
Zeit verbreitete Ansicht anführt, dass die Lemminge bei
Stürmen und plötzlichen Regengüssen vom Himmel fallen,
wobei sie entweder durch Winde von entlegenen Inseln
hinaufgehoben werden, oder aber in den Wolken entstehen. Diese auffallenden Ansichten beweisen zur Genüge
die Plötzlichkeit des Auftretens der Lemminge, welche
so gross ist, dass das ungebildete Volk sich deren Erscheinen auf natürliche Weise nicht erklären kann. Olaus
Magnus benimmt seinen Ansichten jede Glaubwürdigkeit,
indem er sagt, dass die heruntergefallenen Lemminge noch
unverdaute Speise im Magen haben, folglich unmöglich
himmlischen Ursprungs sein können. In Norwegen war die
eben besprochene Ansicht so verbreitet, dass im Jahre 1580
eine Wunderzeitung erschien, die einen solchen Mäuse-
fall des Jahres 1579 besprach (2). Leider habe ich
diese Wunderzeitung nicht auftreiben können und kann
daher über ihren Inhalt nichts mittheilen. Da Olaus
Magnus seinen Ansichten selbst den Todesstoss versetzte,
so ist es um so auffallender, dass nach fast 100 Jahren Scaliger (3) dieselben fast wörtlich wiederholte
und Olaus Wormius (5) eine ganze Abhandlung über
den Lemming schrieb, in welcher er die lächerliche

Ansicht von Olaus Magnus aufrecht zu erhalten suchte. Olaus Wormius bespricht in seinem Buche drei Möglichkeiten der Entstehung der Lemminge, laut welchen sie entweder in den Wolken entstehen und vom Himmel fallen, oder von entlegenen Inseln durch Wind herübergebracht werden, oder endlich durch natürliche Fortpflanzung zur Welt kommen. Er giebt die Anzahl der Jungen in einem Wurfe an, berichtet, dass sie auch während ihres plötzlichen Erscheinens Junge werfen, bildet sogar einen Lemming ab, der ein Junges im Maule und das andere auf dem Rücken trägt, und hält es doch für angemessen, sich dafür zu entscheiden, dass die Thiere vom Himmel fallen. Zur Bekräftigung dieser Ansicht führt er manchen Fall an, wo Lemminge und viele andere Thiere vom Himmel gefallen sein sollen, wobei er bezüglich der ersteren sogar die einzelnen Personen mit Namen nennt, die solchem Lemmingsregen beigewohnt haben. Sowohl nach Olaus Magnus, als auch nach Olaus Wormius ist das Verschwinden der Thiere ebenso plötzlich wie ihr Erscheinen und soll die Lemmingsschaar so lange am Leben bleiben, bis sie frisches Gras genossen hat. — Der nächste Schriftsteller, der den Lemming behandelt, ist Scheffer (7). Dieser begnügt sich jedoch nicht mit der früheren Erklärung, sondern glaubt, dass die Regengüsse dadurch einen Einfluss auf die Lemminge ausüben können, dass sie ihre Baue unter Wasser setzen und die Thierchen zwingen dieselben zu verlassen, so dass sie erst nach dem Regen bemerklich werden. Obgleich Wormius und Scheffer schon einige Daten über die Lebensweise des Lemmings geliefert haben, erwähnt doch keiner von ihnen eines eigentlichen Zuges, sondern beide constatiren nur das plötzliche Erscheinen dieser Thiere. Eine Beschreibung des eigentlichen Zuges finden wir erst bei Rycaut (9), der aber nur das Factum beschreibt, ohne auf dessen Ursachen genauer einzugehen.

Im Jahre 1840 schrieb Linné (10) eine besondere Ab-handlung über den Lemming; doch getraute sich dieser berühmte Forscher nicht, eine Erklärung der Ursachen der Lemmingswanderungen zu geben. Er beschränkte sich darauf, die früheren, fabelhaften Vorstellungen zu widerlegen und das Factum der Lemmingswanderung zu bestätigen. Nach Linné's Dafürhalten glaubt das Volk deshalb an die übernatürliche Entstehung der Lemminge, weil es ihren eigentlichen Wohnsitz nicht kennt. Er schliesst seine Abhandlung mit den beiden folgenden Aeusserungen: erstens müsse das Publikum erfahren, wo diese Thiere leben und sich fortpflanzen, damit es künftig wisse, woher sie kämen, und nicht mehr glaube, dass sie in den Wolken entstanden seien; zweitens fordert er seine Landsleute auf, sich mehr mit dem Thiere zu beschäftigen und bei seinem Erscheinen angelegentlichst nach den Ursachen seiner Wanderung zu forschen, da hier gewiss eine natürliche Ursache vorhanden sei und keine bessere ausgeklügelt werden könne; dies verlange von ihnen die ganze gelehrte Welt, weil sich das betreffende Thier nur in ihrer Heimath finde.

Wenige Jahre darauf lieferte Högström (13) einen sehr wesentlichen Beitrag zur Kenntniss der Naturgeschichte des Lemmings. Högström wies nämlich durch Beobachtungen nach, dass die Lemminge die Gebirgsrücken in Folge besonders kalter Witterung, die in jener Zeit mehrere Jahre angehalten und einen grossen Futtermangel bewirkt haben soll, verlassen hatten, dann aber, während die Kälte noch anhielt, ihren Rückweg antraten, ganz als ob sie von der bevorstehenden Aenderung der Witterung Kenntniss gehabt hätten. Hieraus zieht er den Schluss, dass die Lemminge auf eine bedeutende Zeit voraus den

Zustand der Witterung empfinden. Nach ihm ist also das Vorgefühl der kalten Witterung, nebst dem durch dieselbe bewirkten Futtermangel, der Grund für die Wanderung der Lemminge.

Nach diesen den Gegenstand wirklich wissenschaftlich behandelnden Arbeiten, kommen wir wieder in das Gebiet der Fabel. Erich Pontoppidan hält die Ansicht des Hrn. Lucas Debes für richtig, laut welcher ein Wirbelwind, «Oes» genannt, die Lemminge von der Erde emporhebt und sie dann wieder herabfallen lässt. Ebenso hält sich Leem (16), in seiner Beschreibung Finmarkens, an die alte Vorstellung, dass die Thiere vom Himmel fallen, während der Bischof Gunner, welcher Leem's Abhandlung mit Anmerkungen versehen hat, das Factum wohl bestätigt, aber es dadurch erklärt, dass er jedesmal den darüber schwebenden Raubvogel beobachtet haben will, dem der zappelnde Lemming entkommen sei.

Gründlich wird der Lemming von Pallas (17) abgehandelt, der nur insofern irrt, als er dem Ob-Lemming die Kola-Halbinsel als Vaterland anweist und behauptet, dass der norwegische, d. h. der eigentliche Lemming, von demjenigen der Kola-Halbinsel verschieden sei [1]. Pallas giebt drei Gründe für die Wanderungen der Lemminge an: 1) eine ungewöhnlich starke Vermehrung derselben, 2) Mangel an Futter, der durch die Uebervölkerung hervorgebracht wird, und 3) ein Vorgefühl der kommenden Witterung, welches vielen Thieren, namentlich aus der Sippe der Mäuse, eigen ist.

---

1) Wenn Pallas in Folge von ungenauen Angaben des Fundortes der Exemplare, die er in Händen hatte, ein solcher Fehler passirt ist, so liegt darin nichts Auffallendes; dass aber Dr. Nehring (89) jetzt über die geographische Verbreitung der Lemminge schreibt und denselben Fehler begeht, ist mehr als unverzeihlich.

Ausserdem führt er einen Brief Brünnich's an, in welchem
als Grund für den Lemmingszug die in Skandinavien verbreitete Ansicht angeführt wird, dass heisse Winde die Vegetation
auf den Alpen zum Verdorren bringen und der alsdann ein-
tretende Futtermangel die Lemminge zur Wanderung treibt.

Nach Pallas finden wir in der «Tidskrift for Jägare och
Naturforskare» eine ganze Reihe von Angaben über den Lemming, von denen ein grosser Theil sehr werthvoll ist. So
hat Söderhjelm (31) sich mit den Ursachen der Lemmingswanderung eingehend beschäftigt und ist zu dem Resultate gekommen, dass die Ursache der Wanderung nicht
auf übermässige Vermehrung zurückzuführen sei, da seiner
Meinung nach in diesem Falle die Auswanderungen nach
einem regelmässigen Zeitraume erfolgen müssten, was nicht
der Fall ist. Seiner Meinung nach ist es Futtermangel, der
den Lemming zur Auswanderung treibt, und entsteht derselbe dadurch, dass zu gewissen Zeiten im Frühling, nachdem schon ein Theil des Schnees auf dem Gebirge ge-
schmolzen ist und auch Regengüsse die Quantität des Was-
sers vermehrt haben, plötzliche Fröste eintreten, welche
die gesammten Bergplateaus mit einer so dicken Eiskruste
überziehen, dass der Lemming sich nicht bis zu seinem
Futter durchfressen kann. Zur Bestätigung dieser Ansicht
erwäbnt er noch des Umstandes, dass alle Wanderungen
im Frühling stattfinden. Auch glaubt Söderhjelm, dass
die Lemminge sich mit dem Futter, welches sie in ge-
schützteren Gegenden in der Nähe ihrer Heimath finden,
nicht begnügen, sondern nach besserem streben und daher
die Wanderung fortsetzen. Laestadius (32) ist mit den
Ansichten Söderhjelm's einverstanden und fügt noch hin-
zu, dass in den Herbsten, die den Auswanderungen der Lemminge im Frühjahr oder Sommer vorangehen, solche Eis-

krusten auf den Gebirgen gefunden werden. Ferner ist hier die Ansicht von Zetterstedt(42) anzuführen, welcher glaubt, dass ein instinktmässiges Vorgefühl der strengen Kälte für den Grund der Auswanderung angesehen werden müsse.

Martins (44), eines der Mitglieder der grossen französischen Expedition nach dem Norden, hat im Jahre 1840 einen wichtigen Beitrag zur Naturgeschichte des Lemmings geliefert und in demselben auch die Ursachen seiner Wanderungen genauer abgehandelt. Ihm zufolge ist im Norden die Ansicht vorherrschend, dass das Gefühl des Herannahens eines besonders strengen Winters den Lemming zur Wanderung treibt; doch weist er darauf hin, dass der Winter 1839/40, der auf eine besonders starke Wanderung der Lemminge folgte, im Flachlande wenigstens durchaus nicht besonders rauh war. Auch widerlegt er die von Pallas angeführte Meinung Brünnich's, dass Winde die Vegetation auf den Gebirgen zum Verdorren bringen, durch seine Beobachtung, dass während der Wanderung des Jahres 1839 die Vegetation auf dem Bergplateau von Lapland durchaus nicht verdorrt, sondern in gewöhnlicher Ueppigkeit vorhanden war. Wenn die übermässige Vermehrung der Lemminge nicht die alleinige Ursache ihrer Wanderungen ist, so ist sie nach Martins jedenfalls eine derselben.

Im Jahre 1842 sprach sich K. E. v. Baer (49), in seiner Abhandlung über den Eisfuchs, dahin aus, dass den Leuten im Norden von der lächerlichen Ansicht, als ob die Lemminge marschirten, nichts Näheres bekannt sei. Ich führe dies hier besonders an, da auch Hr. v. Middendorff (55) der Ansicht ist, dass das Marschiren der Lemminge (wie er es nennt) erdacht sei und sie ihre Wanderungen gleich anderen Wühlmäusen, namentlich *Arvicola oeconomus*, ausführen. Ihr massenweises Auftreten erklärt er durch besonders günstige Constellationen, während er sich nicht entschliesst, eine Vermuthung über die Ursachen ihrer Züge auszusprechen, und sich beschränkt, darauf hinzuweisen, dass Nahrungsmangel sie unter keiner Bedingung zur Wanderung zwingen könne, da die Vorräthe von *Sphagnum*, *Betula nana* u. drgl. in jenen Gegenden unerschöpflich sind. — Malm (62) wagt es, in der Beschreibung seiner Reise nach Enare, auch nicht, die Ursachen der Wanderungen zu erklären, und führt nur die dort herrschenden Meinungen an, laut welchen die Lemminge entweder aus den Wolken fallen, oder durch einen Orkan von den Gebirgshöhen der Küstenländer hinabgeschleudert werden, oder aber, durch einen unerklärlichen Instinkt getrieben, aus freien Stücken sich nach der See begeben. Das Zweite nimmt Malm als möglich an; das Dritte hält er dagegen für sehr wahrscheinlich, in Anbetracht des ausserordentlichen Muthes, mit welchem der Lemming der augenscheinlichsten Gefahr entgegengeht und Trotz bietet, wobei er häufig sein Grab in den Wellen findet.

Die besonders grosse Wanderung der Jahre 1839 und 1840 hat Ehrström (64) genauer beobachtet und beschrieben. Seine Beobachtungen sind insofern von grossem Interesse, als sie auch einigen Aufschluss über die Ursachen der Wanderungen geben. Ehrström hat nämlich nachgewiesen, dass im Laufe der Jahre 1827—1837 im Norden, in Folge ungünstiger Verhältnisse, Misswachs war, das Jahr 1838 aber einen Uebergang zu den besonders günstigen Jahren 1839 und 1840 bildete, in welchen denn auch, in Folge der günstigen Verhältnisse, nicht nur Lemmings-, sondern allerlei Thierwanderungen ausbrachen. — Wolley (68) berichtet, dass die Lemminge zu jeder Zeit in grösserer oder kleinerer Menge auf den Bergen anzutreffen sind, dass sie sich aber zuweilen in unglaublicher Weise vermehren und dann ihre Wanderungen unternehmen. — Im Jahre 1863 hat Guyon (71) eine Abhandlung über den Lemming geliefert, in welcher er drei, am meisten verbreitete Meinungen über die Ursachen der Züge be·spricht. Von diesen drei Meinungen widerlegt er zwei, diejenigen nämlich, dass das Vorgefühl eines herannahenden strengen Winters die Thierchen zur Wanderung treibe, und dass Futtermangel deren Ursache sei, und spricht sich zu Gunsten der dritten Ansicht aus, der zufolge eine ungewöhnlich starke Vermehrung der Nothwendigkeit des Wanderns zu Grunde liegt. Jedenfalls glaubt Guyon, dass man sich, so lange keine bessere Erklärung gefunden sei, an die zuletzt ausgesprochene halten müsse. — Brehm (75) hat in seinem «Illustrirten Thierleben» manche interessante, eigene Beobachtung über den Lemming niedergelegt, den er während seiner Reise durch Norwegen und Lapland aus eigener Anschauung kennen gelernt hat. Seiner Meinung nach ist es wiederum Futtermangel, welcher die Thiere wandern lässt, da er folgenden Ausspruch thut: «Ihre Heimath «ist übrigens, so arm sie auch scheinen mag, reich genug «für ihre Ansprüche und bietet ihnen Alles, was sie bedür-. «fen. Nur in manchen Jahren scheint dies nicht der Fall «zu sein; dann sehen sich die Lemminge genöthigt, grosse «Wanderungen anzustellen». Ueber den eigentlichen Zug der Lemminge spricht sich Brehm dahin aus, dass, wenn nicht Linné der Gewährsmann für die bezüglichen Angaben wäre, er sie für gar nicht der Erwähnung werth halten würde, da die Leute auf dem Dovrefjeld und in Lapland nicht das Geringste von den Wanderungen wüssten.—Wheelwright (78) beobachtete Lemminge im Jahre 1862 bei Quickjock, konnte aber durchaus keinen regelmässigen Zug derselben wahrnehmen, aus Gründen, die ich später genauer auseinandersetzen werde. Was die Ursachen der Erscheinung betrifft, so hält er dieselben für ein Geheimniss, welches nur dem allwissenden Schöpfer bekannt sei. Dies ist wohl die bequemste Art sich schwieriger Fragen zu entledigen, passt aber mehr in's vorige Jahrhundert. — Bowden (76) hält sich ebenfalls an die Meinung, dass Uebervölkerung die Ursache der Wanderung sei. — Im 2. Theile des IV. Bandes seiner Sibirischen Reise bespricht Hr. v. Middendorff (82) die Lemmingswanderungen und namentlich die grossartige des Jahres 1840, der er selbst in Lapland beigewohnt hat. Als Ursachen der Erscheinung finden wir bei ihm ebenfalls eine übermässige Vermehrung angegeben, sowie einen Wandertrieb, der sich der einzelnen Individuen desto entschiedener und regelmässiger bemächtigen soll, je grösser die Thierschaar ist.

Besonders werthvoll sind die letzten Arbeiten von Collett und Duppa Crotsch. Collett (83, 88) wiederholt fast wörtlich die Meinung Middendorff's, giebt aber wichtige Aufschlüsse über den Grund der Uebervölkerung. In gewissen, günstigen Jahren soll die Vermehrung eine bedeutend grössere sein als gewöhnlich. Nicht nur dass die Würfe in solchen Jahren einander schneller folgen, sondern die Anzahl der Jungen in einem Wurfe steigt von 5 auf 9 — 10. Ausserdem sollen die Jungen des ersten Wurfes schon zum Herbst sich fortpflanzen und dadurch nicht unwesentlich zur Uebervölkerung beitragen. Endlich glaubt Collett, dass nicht nur das Jahr der Wanderung, sondern schon einige vorhergehende Jahre den Lemmingen günstig sein müssen, um eine so starke Uebervölkerung hervorzubringen, dass die Lemmingszüge einen grossen Umfang annehmen.

Die Erklärung der Lemmingswanderung, die wir bei

Duppa Crotsch (84, 85, 86, 87) finden; bestätigt besonders deutlich meine oben ausgesprochene Behauptung, dass die falschen Erklärungen dieser Erscheinung meist davon herrühren, dass man dieselbe entweder nur von einzelnen eigenen Beobachtungen, oder von einzelnen Thatsachen aus in ihrem ganzen Umfange hat erklären wollen. Crotsch legt das grösste Gewicht bei der ganzen Wanderung der Lemminge darauf, dass sie westwärts wandern, und zieht auf Grund dieser einzigen Beobachtung den Schluss, dass dieselben in jener Weltrichtung einen Anziehungspunkt haben müssen. Als solchen glaubt er den in einer früheren geologischen Periode vorhanden gewesenen Welttheil (die miocene Atlantis) ansehen zu müssen, nach welchem hin der Lemming gewohnt war seine Wanderungen anzustellen. Nachdem nun dieser Welttheil vom Wasser bedeckt worden, müssen die Lemminge der alten Gewohnheit nach ihre Wanderungen dahin unternehmen und auf diesem Wege den Tod in den Wellen des Atlantischen Oceans finden. Crotsch führt auch die alten Ansichten Guyon's an und widerlegt sie theilweise, namentlich in einer zweiten Arbeit, in welcher er sich besonders gegen die Ansicht ausspricht, dass das Vorgefühl eines strengen Winters die Lemminge zur Wanderung treibe. In einer dritten Arbeit endlich bespricht er die drei folgenden auf den Lemmingszug bezüglichen Fragen: 1) von wo kommen sie? 2) wohin gehen sie? und 3) warum wandern sie überhaupt? Die erste Frage hat seiner Meinung nach noch Niemand beantwortet, und das Kjölen-Gebirge wird nur deshalb als ihre Heimath bezeichnet, weil es der am wenigsten bekannte Theil Norwegens ist. Die Antwort auf die zweite Frage liegt nach Crotsch's Meinung offen zu Tage: die Lemminge gehen in's Meer; und zwar vom östlichen Ab-

hange des Gebirges zum Bottnischen Meerbusen und vom
westlichen Abhange zum Atlantischen Ocean. Ehe er aber
die dritte Frage beantwortet, hält er es für angemessen,
die früher ausgesprochenen Ansichten, dass nämlich die
ungewöhnliche Vermehrung, der durch dieselbe bedingte
Futtermangel, ein Vorgefühl strenger Kälte, oder ein natürlicher Trieb die Ursachen der Lemmingswanderungen
seien, genauer zu besprechen. Dass die ungewöhnliche
Vermehrung nicht der Grund der Auswanderung des Lemmings sei, sucht Crotsch durch folgende Combinationen
zu beweisen, welche auf eigene Beobachtungen basirt sind.
Die Anzahl der Individuen im ersten Jahre der Wanderung ist nach seinen Beobachtungen nicht gross; wenn
aber die Schaar den Winter in der Ebene unter dem
Schnee zugebracht hat und mit den ersten warmen Tagen
ihre Fortpflanzung begonnen hat, dann wächst die Anzahl der Individuen bis in's Unglaubliche. Demnach kann
die übermässige Vermehrung nach Crotsch nur für eine
Folge der Wanderung angesehen werden und keineswegs
die Erscheinung bedingen. Die Meinung, dass das Vorgefühl eines strengen Winters die Wanderung des Lemmings hervorrufe, hält Crotsch nur für einen Aberglau-
ben der Einwohner Norwegens und meint daher, dass es
nicht der Mühe werth sei, dieselbe zu widerlegen. Die
dritte Meinung endlich, dass ein natürlicher Wandertrieb
die Lemminge vom Gebirge herabsteigen lasse, wird von
Crotsch auf Grund seiner localen Beobachtungen folgendermassen widerlegt. Durch Zeichnungen sucht er zu
beweisen, dass die Lemminge den Gebirgsrücken nicht
in verschiedenen Richtungen verlassen, sondern immer
nur westwärts ziehen. Diejenigen, die den Ostabhang bewohnen, sollen in westlicher Richtung den Gebirgsrücken

übersteigen und sich zum Atlantischen Ocean fortbewegen, in dessen Wellen sie ihren Untergang finden. Wenn man nun annimmt, dass an Stelle des Atlantischen Oceans in früheren Zeiten ein Welttheil existirt habe, dessen ehemaliges Vorhandensein durch die geringe Tiefe, welche man zwischen Norwegen und Island nachgewiesen hat, sehr wahrscheinlich gemacht wird, so glaubt Crotsch eine Erklärung der Wanderung der Lemminge gefunden zu haben. Die durchschnittliche Tiefe des Atlantischen Oceans zwischen Norwegen und Island beträgt gegen 250 Faden, und nur ein schmaler Canal erreicht eine Tiefe von 682 Faden. Dieser Canal ist wahrscheinlich analog dem heutigen Golfstrom und hat in Folge seines mildernden Einflusses auf das Klima die Lemminge in der Richtung nach Westen angezogen. Während der Ocean den früheren Welttheil verschlungen hat, besteht der Einfluss des Golfstroms fort und zieht die Lemminge bis auf den heutigen Tag an. Dadurch, dass diese Thiere gewohnt sind, ungefährdet über Flüsse und Seen zu setzen, bildet auch der Ocean, welcher ihre frühere Heimath verschlungen hat, kein Hinderniss für sie. Sie kommen aber in demselben bis auf das letzte Thier um, so dass nicht einmal die übrig gebliebenen Repräsentanten der Art vor den Schwierigkeiten und Gefahren der Reise gewarnt werden können. Am Schlusse seiner Abhandlungen kommt Crotsch zu dem Resultate, dass, bevor eine logische Erklärung der Ursachen der Lemmingszüge gegeben worden, das Vorhandensein eines Welttheiles unter dem Spiegel des Atlantischen Oceans als Grund dieser Erscheinung angesehen werden müsse. — Fellman (90) endlich, den ich am Ende anführe, da mir die Jahreszahl seiner Arbeit unbekannt geblieben ist, glaubt, dass die Lemminge entweder aus Mangel an Futter, oder wegen Uebervölkerung, oder auch aus anderen Gründen ihre Heimath verlassen.

Nachdem wir alle Versuche, die Ursachen des Wanderns der Lemminge zu erklären, in chronologischer Reihenfolge angeführt haben, wollen wir einen jeden derselben nach Gebühr zu beleuchten und diejenigen, die uns falsch erscheinen, zu widerlegen suchen. Natürlich können wir uns hier bei den abenteuerlichen Ansichten von Olaus Magnus, Olaus Wormius, Scheffer, Pontoppidan und Leem nicht aufhalten und müssen nur zugeben, dass das Herabfallen der Lemminge in dem Falle stattfindet, den der Bischof Gunner angeführt hat, d. h. wenn die Lemminge in der Luft Raubvögeln entwischt sind. Was Scheffer's und Pontoppidan's Meinungen anbetrifft (Einwirkung des Regens und des Wirbelwindes Oes), so halten wir dieselben ebenfalls für keiner Widerlegung würdig.

Högström, der eine bei den Einwohnern verbreitete Meinung berichtet hat, dass nämlich das Vorgefühl eines herannahenden strengen Winters die Ursache der Wanderung sei, hat durch sein Beispiel viele Forscher veranlasst, sich an diese Erklärung zu klammern. Die älteren von ihnen, wie Zetterstedt und Pallas, führen dies angebliche Vorgefühl in der Zahl der Ursachen der Erscheinung an, während die neueren, wie Malm und Martins, sich darauf beschränken, die Existenz dieser Meinung unter den Einwohnern zu erwähnen. Ich halte es auch für kaum nothwendig, dieselbe zu widerlegen. Wenn die Lemmingswanderungen nur im Herbst stattfinden würden, so wäre es noch möglich anzunehmen, dass die heranrückende Kälte mit ein Motiv zur Wanderung sei; warum wandern sie aber zuweilen im Frühjahr, wenn die Gefahr vor der strengen Witterung schon vorüber ist? Auch hat Martins nachgewiesen, dass

der Winter des Jahres 1839/40, welcher einer besonders
starken Lemmingswanderung folgte, in der Ebene wenigstens durchaus nicht rauh war. Ferner ist es schwer anzunehmen, dass der Temperaturunterschied in den einzelnen
Wintern so gross sein könne, dass in dem einen Jahre der
Lemming ganz gemüthlich unter dem Schnee lebt, ohne
in einen Winterschlaf zu verfallen, während er in einem
anderen Winter unbedingt der Kälte erliegen müsste. Von
dem Umstande endlich wollen wir ganz schweigen, dass das
Vorgefühl der Witterung bei den Thieren eine ziemlich be-
denkliche Sache ist. Kurzum, wir sehen, dass sich gegen
diese Ansicht viele Gründe anführen lassen.

Nicht besser ergeht es auch der folgenden, ebenfalls
durch Högström in's Leben gerufenen Ansicht, dass nämlich der durch ungünstige Witterung bedingte Futtermangel die Lemmingswanderungen verursache. Diese Ansicht
wird auch von Pallas citirt und zu ihr kann man ferner
die bei Pallas angeführte Meinung Brünnich's ziehen,
dass heisse Winde die Vegetation auf den Alpen verdorren
lassen und dadurch Futtermangel erzeugen. Es erweist sich
jedoch, dass in jenen Gegenden von einem Futtermangel
für den Lemming gar nicht die Rede sein kann, da fast
alle neueren Forscher, wie Martins, Guyon und Middendorff, einstimmig behaupten, dass die Vorräthe von
Betula nana und *Sphagnum*, der Hauptnahrung des Lemmings, unerschöpflich sind. Keiner von ihnen hat bemerkt,
dass in den Jahren der Wanderung die Vegetation in
der subalpinen Region verdorrt gewesen wäre, sondern
alle fanden dieselbe in gewöhnlicher Ueppigkeit. Auch
ich fand im Sommer des Jahres 1880, als ich Lapland
bereiste, durchaus keinen Unterschied in der Ueppigkeit der Vegetation des subalpinen Gürtels im Vergleich

mit den niedriger gelegenen Regionen. Meiner Ansicht nach kann Futtermangel unter keiner Bedingung eine Wanderung der Lemminge hervorrufen, denn wenn die Lemminge nur aus Mangel an Futter ihre Heimath verlassen würden, so brauchten sie nur in einen etwas tieferen Pflanzengürtel hinabzusteigen; eine Nothwendigkeit, weite Wanderungen zu unternehmen, würde aber durchaus nicht vorhanden sein. Die Erklärung Söderhjelm's, der zufolge eine Eiskruste den Lemmingen den Zutritt zum Futter nicht gestatte, ist an und für sich sehr geistreich, kann aber vor einer strengen Kritik auch nicht bestehen, da sie auf falschen Thatsachen beruht. Durch die neueren Forschungen (z. B. Martins' und vieler Anderen) ist es nachgewiesen, dass die Mehrzahl der Lemmingswanderungen im Herbst stattfindet, während Söderhjelm's Erklärung nur dann glaubwürdig wäre, wenn die Lemminge ausschliesslich im Frühling wandern würden, was der Autor der Theorie auch sehr gut eingesehen hat. Söderhjelm begriff auch, dass aus Futtermangel die Lemminge nicht wandern, sondern nur ihren Wohnsitz etwas tiefer hinab verlegen würden, wie wir es so eben ausgesprochen haben, und beeilt sich daher hinzuzufügen, dass sie sich mit dem Futter, welches sie in der Nähe ihrer Heimath finden, nicht begnügen. Dieser Meinung muss ich ebenfalls ernstlich widersprechen, indem die Vegetation in den verschiedenen Pflanzengürteln durchaus nicht so verschiedenartig ist, dass der Lemming nicht passendes Futter finden könnte. Jedenfalls weisen die benachbarten Gegenden, wenn auch nicht Pflanzen von derselben Species, so doch solche auf, welche dem gewöhnlichen Futter der Lemminge sehr nahe stehen und dasselbe sehr gut ersetzen könnten.

Endlich ist Söderhjelm nächst Crotsch der einzige

Forscher, welcher kategorisch behauptet, dass übermässige
Vermehrung nicht die Ursache der Wanderungen sei. Ich
kann jedoch der Ansicht durchaus nicht beistimmen, dass in
dem Falle, wenn Uebervölkerung die Wanderungen bedingen
würde, dieselben nach regelmässigen Zeiträumen sich wiederholen müssten. Dies ist ganz unmöglich, da, wie wir
später sehen werden, die Uebervölkerung ein Resultat der
günstigen Witterungsverhältnisse in einzelnen Jahren oder
in einer Reihe von Jahren ist. Diese Witterungsverhältnisse
sind aber durchaus keine periodischen Erscheinungen und
können daher auch keine periodische Uebervölkerung und
keine periodischen Wanderungen hervorrufen. Pallas war
der erste, welcher sich dahin aussprach, dass eine der Ursachen der Erscheinung in der übermässigen Vermehrung der
Lemminge zu suchen sei. Nach ihm haben sich die hervor-
ragendsten Forscher, die sich mit dieser Frage abgegeben
haben, wie Martins, v. Middendorff, Wolley, Guyon
und Collett, zu Gunsten dieser Meinung ausgesprochen.
Ich werde mich an diesem Orte nicht weiter über diese Ansicht auslassen, einerseits da ich sie nicht zu widerlegen
brauche, andererseits da sie bei der Auseinandersetzung
meiner Meinung genauer besprochen werden wird.

. Hier ist aber noch Einiges über die Ansichten von Ehrström, Middendorff und Crotsch zu sagen. Ersterer lieferte eine überaus wichtige Illustration zur Frage über die
Entstehung der Uebervölkerung. Durch genaue Beobachtungen wies er nach, dass nicht Mangel, sondern im Gegentheil
Ueberfluss die Lemminge und andere Thiere zu massenhaf-
tem Erscheinen und Wandern treibt. Diese Beobachtungen
beweisen zur Genüge, dass die Wanderungen der Lemminge
durch Einflüsse bewirkt werden, welche auf die meisten
Thierarten gleich wohlthätig und in derselben Richtung wir-

ken, und dass folglich der Grund zur Wanderung nicht in den persönlichen Eigenschaften des Lemmings zu suchen ist. Weder ein Wander-, noch irgend ein anderer Trieb, wie ihn v. Middendorff hervorhebt, ist dem Lemminge eigen, sondern die Summe der wohlthätigen Einflüsse bewirkt solche Verhältnisse, die den Lemming zum Wandern zwingen. Crotsch's Meinung endlich kann nur als ein Muster der Speculation des menschlichen Geistes angesehen werden, da sie einer wissenschaftlichen Unterlage entbehrt. Durch die Arbeiten von Dr. Alfred Nehring und von anderen Forschern ist zur Genüge bewiesen, dass der Lemming in der Diluvialperiode Deutschland und überhaupt das westliche Europa bewohnt hat; folglich ist nicht anzunehmen, dass er besonderes Heimweh nach der untergegangenen Atlantis haben könne. Was die Anziehungskraft des Golfstromes betrifft, so ist dieselbe in diesem Falle auch nicht maassgebend, obgleich sie jedenfalls nicht so leicht zu nehmen ist, da der Golfstrom auf die Vögel einen gewissen Einfluss ausübt, den ich seiner Zeit genauer erörtern werde. Da aber in dem vorliegenden Falle die ganze Theorie mit dem Golfstrome auf der falschen Thatsache erbaut ist, als ob alle Lemminge in der Richtung nach Westen zögen, so ist diese Ansicht nicht weiter zu berücksichtigen. Auch widerspricht sich Crotsch selbst in seiner dritten Abhandlung, indem er sagt, dass die Lemminge der Ostseite des norwegischen Landrückens sich zum Bottnischen Meerbusen begeben. Wo ist denn da die westliche Richtung? wo der Einfluss des Golfstroms? und wo die Anhänglichkeit an die Atlantis?

Gehen wir nunmehr zum letzten Theile der Arbeit über und versuchen wir eine Erklärung der Ursache der Lemmingswanderungen zu finden. Im zweiten Theile der

Abhandlung, in welchem ich ,die verschiedenen Ansichten
über den Lemmingszug näher betrachtete, glaube ich schon
mit genügender Schärfe die Mängel derselben hervor-
gehoben zu haben und halte mich deshalb für berechtigt, jetzt nur die eine Ansicht genauer zu behandeln, die
von mir nicht widerlegt worden ist und die meiner Meinung nach in der That die Grundlage aller Erklärungen der
Ursachen der Lemmingszüge bilden muss. Es ist dies die
Ansicht, welche zuerst von Pallas ausgesprochen wurde,
dass nämlich die übermässige Vermehrung der Lemminge
eine Uebervölkerung hervorruft, welche eine Wanderung
nach sich zieht. Ehe ich aber an die genauere Besprechung
dieser Ansicht gehe und die Verhältnisse ausführlicher moti-
vire, unter welchen die Wanderungen stattfinden, glaube ich
noch die Frage berühren zu müssen, ob die Lemminge überhaupt wandern? Meiner Ansicht nach kann man auf diese
Frage nur bejahend antworten. Und dennoch haben manche
Naturforscher, wie v. Baer, v. Middendorff und Brehm,
die Richtigkeit der Erscheinung bezweifelt. Der Grund dazu
liegt, meiner Ansicht nach, einmal darin, dass, wie ich schon
früher bemerkt habe, die Wanderungen zur Nachtzeit stattfinden und darum leicht übersehen werden können. Ferner
ist gerade bei der Angabe von Brehm die Ursache seines
Misstrauens zur Erscheinung sehr augenscheinlich: er hat
sich nämlich auf dem Dovrefjeld (und in Lapland[?])
nach dem Lemming erkundigt und dort erfahren, dass die
Einwohner von dessen Wanderungen nichts wissen. Dies
konnte aber auch gar nicht anders sein, da der Lemming
auf dem Dovrefjeld (und wahrscheinlich auch in dem von
Brehm besuchten Theile von Lapland) ständig vorkommt
und keine Wanderzüge diesen Ort passiren, so dass die Einwohner auch nur seine Vermehrung oder Verminderung, nicht

aber seine Wanderungen beobachten können. Hierdurch erklären sich auch die negativen Beobachtungen von Wheelwright (78) bei Quickjock in Lapland.

Vor allen Dingen constatiren wir also das Factum, dass der Lemming zu gewissen, nicht periodisch wiederkehren- den Zeiten seine Heimath verlässt, und gehen dann an die Frage, unter welchen Bedingungen ein solches Ereigniss stattfindet? Zur Beantwortung dieser Frage geben uns die Beobachtungen von Ehrström (64) und Collett (88) ein genügendes Material. Ehrström hat nachgewiesen, dass die Wanderungen der Lemminge nur in besonders günstigen Jahren stattfinden, und damit die Möglichkeit ausgeschlos- sen, dass Mangel an Futter oder ungünstige Witterung den Lemming zur Wanderung treiben könne. Eine ganze Reihe ungünstiger Jahre hat, nach Ehrström, keine Wan- derung hervorrufen können, während ein günstiges Jahr, dem einige mildere Jahre vorausgegangen waren, eine be- sonders grosse Wanderung zur Folge hatte. Ferner ha- ben Collet (88) und Ehrström (64) zur Genüge bewie- sen, dass in solchen Jahren auch andere Thiere in grös- serer Menge auftreten und folglich auch auf sie die gün- stigen Witterungsverhältnisse in derselben Richtung wir- ken. Vor allen Dingen ist also ein günstiges Jahr, oder, noch besser, eine Anzahl aufeinander folgen- der günstiger Jahre, eine Nothwendigkeit für die Entstehung einer Wanderung.

Wie äussert sich aber ein günstiges Jahr an den Lem- mingen und den übrigen Thieren? Es äussert sich darin, dass die Anzahl der Individuen in bedeutendem Grade steigt. Auf welche Weise die Vermehrung der Anzahl ge- wisser Thiere, wie z. B. des Lemmings, zu so unglaublichen Massen führen kann, ist zur Zeit noch schwer zu entscheiden.

Einerseits besitzen wir die Beobachtungen von Collett
(88), laut welchen die Lemminge sich in solchen günstigen
Jahren viel stärker vermehren, indem sowohl die Anzahl
der Würfe, als auch die Anzahl der Jungen in denselben
grösser ist, — Beobachtungen, die wir zur Zeit nicht widerlegen können und daher, wenn auch mit einiger Vorsicht,
annehmen müssen. Andererseits haben alle Beobachter den
Punkt aus dem Auge gelassen, dass in den günstigen Jahren die jungen Lemminge viel leichter aufkommen und ge-
deihen. Behält man dies im Auge, so erscheint es als sehr
möglich, dass die Fortpflanzung in den verschiedenen Jahren auf ganz gleiche Weise vor sich geht, dass aber die
Anzahl der am Leben bleibenden jungen Lemminge in den
ungünstigen Jahren sehr gering ist, während sie in den
günstigen eine massenweise Anhäufung der Individuen be-
wirken kann.

Wenn man nun aber auch annimmt, dass günstige Wit-
uterngsverhältnisse und die daraus entstandene Uebervölkerung nothwendige Bedingungen für die Wanderung der
Lemminge sind, so ist der Grund, aus welchem die Lemminge ihre Heimath verlassen, damit immer noch nicht
gefunden. Da trotz der Uebervölkerung von Futtermangel in jenen Gegenden nicht die Rede sein kann, so drängt
sich natürlich die Frage auf, aus welchem Grunde die
Lemminge ihre Heimath verlassen, wenn sie sich stark
vermehrt haben? Auf diese Frage liefern, meiner Meinung nach, die Beobachtungen von Martins (44), Guyon
(71) und meine eigenen über den Lemming in der Gefangenschaft die beste Auskunft. Der Lemming verlässt seine Heimath deshalb, weil seine unverträg-
liche, bissige Natur ihm nicht gestattet auf demselben Raume in bedeutend grösserer Menge zu leben.

Wenn ich auch nicht die Nothwendigkeit einsehen kann,
dass vor der Wanderung Kämpfe stattfinden, wie Scheffer (7) und Andere berichten, so glaube ich doch mit Gewissheit, dass die Lemminge entweder aus freien Stücken,
oder nothgedrungen ihre Heimath verlassen, da ihnen die
immerwährenden Streitigkeiten lästig sind. Sehr möglich
ist es auch, dass die alten Lemminge die jüngeren Männchen
aus der Heimath vertreiben, da nach den Beobachtungen
von Collett (88), die ich nur bestätigen kann, die überwie-
gende Anzahl der Wanderer Männchen sind.

Wird aber das Obige zugegeben, so drängt sich noch
eine fernere Frage auf: auch nachdem der Lemming seine
Heimath verlassen hat, brauchte er durchaus noch nicht zu
wandern, da er sich schon in der nächsten Pflanzenzone
ernähren könnte und auch die Streitigkeiten aufhören würden, wenn die Lemminge auf ein grösseres Gebiet vertheilt
wären. Warum wandert er also? Meiner Meinung nach
lässt sich auch diese Frage sehr leicht beantworten. Nachdem der Lemming seine Heimath verlassen hat,
muss er unbedingt eine Wanderung unternehmen,
da nur die *Regio subalpina* seinen Anforderungen
entsprechen kann. Wenn demnach die *Regio subalpina*
den milder werdenden klimatischen Verhältnissen immer
mehr und mehr weicht und endlich ganz verschwindet, so
bleibt dem Lemming auch nichts übrig als umzukommen.
Diese Annahme ist durch die fossilen Ueberreste desselben
zur Genüge bewiesen, denn wo Lemmingsreste gefunden
wurden, hat auch die *Regio subalpina* bestanden und ist
der Lemming in Gemeinschaft mit seiner Pflanzenzone verschwunden. Wenn er nun seine Heimath aus gewissen Gründen verlässt und in andere Verhältnisse tritt, so begiebt
er sich auf die Suche nach seiner Heimath, wie sich Col-

lett (88) ausdrückt. Während dieser Suche können aber
nur zwei Ereignisse den Lemming aufhalten, entweder das
Meer, in welchem er seinen Tod findet, oder der eintre-
tende Winter, der ihm ein zeitweiliges Halt gebietet, nach
welchem die überlebenden Individuen im folgenden Frühling ihre Suche von Neuem fortsetzen.

So viel über den Lemming und seine Wanderungen.
Zum Schlusse gebe ich eine Uebersicht aller Lemmingswanderungen, die mir durch litterarisches Studium bekannt geworden sind, wobei ich natürlich für die gleich-
mässige Zuverlässigkeit der angeführten Quellen nicht ein-
stehen kann.

Im XVI. Jahrhundert:

1580. Trondhjem — Crotsch (86).

Im XVII. Jahrhundert:

1648. Nordfjord — Crotsch (86).
1697. Torneå — Crotsch (86).

Im XVIII. Jahrhundert:

1737. Luleå — Crotsch (86). (Vielleicht identisch mit
    der folgenden, — nur ungenaue Angaben?).
1739. Kaitom, Luleå-Lapmark — Högström (13).
1739—40. Hallingdalen — Collett (88).
1742. Rückwanderung in Kaitom, Luleå-Lapmark —
    Högström (13).
1743. Umeå-Lapmark — Högström (13).
1747. Umeå-Lapmark — Crotsch (86).
1755. Carlö — Ehrström (64), Middendorff (82).
1757. Trondhjem — Crotsch (86), Collett (88).

1769 — 70. Österdalen und Kongsberg — Crotsch (86), Collett (88).

1772. Söndmör im Bergen-Stift — Collett (88).

1774. Nordmör im Bergen-Stift und südlich nach Soter- dalen im Christiansand-Stift—Collett (88).

1780—81. Thelemarken, Eker, Hadeland und Chri- stiansand-Stift — Collett (88).

1788. Finnisch-Lapland — Ehrström (64).

1789—90. Wermeland — Ehrström (64) und wahr- scheinlich auch v. Middendorff (82), welcher irrthümlicher Weise das Jahr 1798 anführt. Christians-Amt, Thelemarken, Eker, Ha- deland etc. — Collett (88). Dalarne — Sö- derhjelm (31).

Im XIX. Jahrhundert:

1807. Dalarne — Söderhjelm (31).

1808. Dalarne — Söderhjelm (31).

1809. Dalarne — Söderhjelm (31), Rückwanderung.

1808 — 9 — 10. Finnisch-Lapland. — Ehrström (64), v. Middendorff (82), Fellman (90).

1813. Dalarne — Söderhjelm (31).

1816. Nordland — Collett (86).

1823. Dalarne — Söderhjelm (31).

» Östersund und Frösön — Byström (34).

» Fryksdalen und Elfdalen — Beckmann (35).

» Hernösand — Zetterstedt (42), Crotsch (86).

» Södra Helsingland — Littorin (36).

1826. Bergen-Stift — Collett (88).

1831. Lycksele — Ch rotsc (86).

1832. Lycksele — Zetterstedt (42).

1832. Luleå, Gellivara, Öfver Kalix — Arfvedson (40).

1833. Bossecop, Karesuando—Martins (44), Crotsch (86).

1833—34. Thelemarken und Christiansand-Stift — Collett (88).

1839. Bossecop, Muonioniska — Martins (44).

» Karesuando — Crotsch (86).

» Kemi-Lapmark — Fellman (90).

1839—40. Muonioniska — Ehrström (64).

» » » Enare — Malm (62, 63).

1840. Kola-Halbinsel — v. Baer (49, 50), v. Middendorff (55, 82).

1841. Quickjock — Löwenhjelm (52).

1849. Varanger-Fjord, Naesseby (?) — Schrader, in Pässler (65).

1852—53. Alten, Tromsö, Süd-Finmarken — Wolley (68), Collett (88).

1862. Quickjock — Wheelwright (78).

1862—64. Christiania-Stift — Collett (88).

1863. Nordschweden, Finland — Guyon (71).

1867—68. Heimsdalen — Crotsch (86).

1871. Oestl. Theil v. Christiania-Stift — Collett (88).

1872. Trondhjem-Stift und nördl. Theil von Christiania-Stift — Collett (88).

1875—76. Heimsdalen — Crotsch (86).

1875—76. Oestlicher und nördlicher Theil von Christiania-Stift, Christiansand-Stift und nördlich nach Romsdalen. — Collett (88).

» » » Kola — (Pleske).

1876. Ost-Finmarken — Collett (88).

1880. Imandra, Kola — (Pleske).

Genus 5. PTEROMYS Geoffr.

15. Pteromys volans L.

1. 1767. *Sciurus volans.* Gunner apud Leem (XX), p. 220, n. (69).
2. 1775. — *volans.* Hammer (XXIII), p. 13, n. 47.
3. 1778. — *volans.* Pallas (XXV), p. 356.
4. 1798. — *volans.* Thunberg (XXX), p. 43.
5. 1845. *Pteromys volans.* Middendorff (CV). Beitr. z. Kenntn. d. Russ. Reichs. Bd. XI, p. 170.
6. 1875. — *volans.* Middendorff (CLXII), p. 1045, Anm.
7. 1875. *Sciuropterus volans* L. Collett (CLXIV), Carte zoogéogr.
8. 1875. *Sciurus volans.* Fellman (CLXXXIII), p. 264, n. 29.

Das fliegende Eichhorn kommt nur in den südlichsten Theilen unseres Gebietes vor, denn die alten Angaben, laut welchen es bis nach Finmarken hinaufgehen soll, haben sich nicht bestätigt. Nach Gunner (1) und Hammer (2) sollte es daselbst vorgekommen sein, jedoch sehr selten. Thunberg (4) führt es für Österbotten und Lapland an, während Pallas (3) «Lapponia» (worunter er gewöhnlich das russische Lapland verstanden hat) als seine Heimath angiebt. In der Gegend am Imandra hat es Middendorff (6) nicht gefunden, und auch den Bauern ist es daselbst nicht bekannt. Mir ist es nicht besser ergangen, da meine Erkundigungen auch nicht zum Ziele geführt haben. Fellman (8) berichtet, dass er im nördlichen Laplande weder das Thier, noch dessen Balg gesehen habe, während es in Kuusamo beobachtet und geschossen worden ist. Dies bestätigt sich dadurch, dass auch Middendorff (6) das Thier in Kuusamo erhalten hat. Jedoch soll es daselbst nach Fellman (8) nur auf der Wanderung und erst in Kajana ständig vorkommen.

Genus 6. SCIURUS L.

16. Sciurus vulgaris L.

1. 1672. *Ekorre*. Tornaeus (VII), IX, p. 43.
2. 1673. *Sciurus*. Scheffer (VIII), p. 342.
3. 1748. *Eichhorn*. Scheller (XVII), p. 52.
4. 1767. *Sciurus*. Leem (XX), p. 219.
5. 1772. *Sciurus vulgaris*. Lagus (XXII). Kgl. Vet. Ak. Handl. Bd. XXXIII, p. 354.
6. 1790. *Ekorre*. Enckel (XXVIII). Kgl. Vet. Ak. Handl. p. 78.
7. 1800. *Sciurus vulgaris*. Georgi (XXXI), p. 1584, n. 1.
8. 1804. — *vulgaris*. Grape (XXXII). Kgl. Vet. Ak. Nya Handl. Bd. XXV, p. 91.
9. 1804. *Sciurus*. Acerbi (XXXIII), T. III, p. 130, 132.
10. 1811. *Squirrel*. Linné und Smith (XXXVI), p. 151.
11. 1828. *Eichhörnchen*. Sjögren (XLV), p. 14, 43 und 44.
12. 1829. *Squirrel*. Everest (XLVI), p. 173.
13. 1832. *Ekorre*. Ekström (LIII). Tidskr. f. Jäg. och Naturf. Bd. I, 163.
14. 1834. *Ekorre*. Bergenstråle (LXXXIV). Ibidem, Bd. III, p. 968.
15. 1834. *Ekorre*. Laestadius (LXXXV). Ibidem, Bd. III, p. 968—969.
16. 1834. *Ekorre*. Burmann (LXXXVI). Ibidem, Bd. III, p. 969.
17. 1844. *Ekorre*. Fellman (CII), p. 142.
18. 1845. *Sciurus vulgaris*. Middendorff (CV). Beitr. z. Kenntn. d. Russ. Reichs. Bd. XI, p. 170.
19. 1847. *Sciurus vulgaris* L. Nilsson (CIX), p. 402.
20. 1852. — *vulgaris*. Ehrström (CXX). Not. ur Sällsk. pr. Fauna et Fl. fenn. Förh. p. 1.
21. 1856. *Бѣлка*. Поромовъ (CXXVI). Арх. Губ. Вѣд. стр. 356.
22. 1865. *Бѣлка*. Потманъ (CXL). Арх. Губ. Вѣд. Прилож. стр. 183.
23. 1869. *Бѣлка*. Дергачевъ (CXLIX). Арх. Губ. Вѣд. № 87.
24. 1869. *Бѣлка*. Дергачевъ (CL). Арх. Губ. Вѣд. № 103.
25. 1874. *Sciurus vulgaris* L. Lilljeborg (CLVIII), p. 397.
26. 1875. — *vulgaris* L. Collett (CLXIV), Carte zoogéogr.
27. 1877. *Бѣлка*. (CLXIX). Журналъ Охоты. № 5, Т. III, VII, стр. 67.
28. 1877. *Sciurus vulgaris* L.-Collett (CLXX). Nyt Mag. f. Naturv. Bd. 22, p. 85, n. 25.
29. 1877. — *vulgaris*. Fellman (CLXXXIII), p. 261, n. 28.

Benennungen: Im russischen Laplande bei der russischen Bevölkerung *Bälka* (бѣлка), bei den Lappländern *Wuor-*

wantsch (nach eigenen Erkundigungen); in Finmarken
nach Leem *Orre* und im schwedisch-finnischen Theile
Laplands nach Fellman *Ârrew* oder *Oarre*.

Das Eichhorn ist eine charakteristische Erscheinung
des Nadelwaldes und hat demnach auf der Halbinsel auch
eine gleiche Verbreitung mit demselben. Aus diesem Grunde
ist es auch ganz erklärlich, dass die Mehrzahl der Angaben
über das Vorkommen des Eichhorns in Lapland aus dem
südwestlichen Theile unseres Gebietes stammen, wo sich die
zahlreichsten und grössten Nadelwälder befinden. Vor allen anderen nach Süden reichend sind die Funde von Bergenstråle (14) und Burman (16) aus Haparanda und
Karungi; in Kengis haben es Everest (12) und Ekström (13) nachgewiesen. Weiter nach Norden hat Laesta-
dins (15) das Eichhorn in Karesuando gefunden. Für
Finmarken besitzen wir ausser den allgemeinen Angaben,
welche sich bei Scheffer (2), Leem (4) und Lilljeborg
(25) finden, genauere von Collett (28). Laut diesen Angaben ist das Eichhorn bis in die südlichen Districte Ost-
Finmarkens, z. B. Sydvaranger, eine gewöhnliche Erscheinung und zeigt sich vereinzelt auch über die Wald-
grenze hinaus; so nach Nordvi bei Naesseby und Vadsö
am Varanger-Fjorde. In den finnischen Lapmarken, namentlich in deren südlichem Theile, haben es
mehrere Forscher gefunden, so Lagus (5) in Kuusamo,
Euckel (6) in Sodankylä; für Torneå und Kemi-Lapmark führen es ohne genauere Fundorte Sjögren (11),
J. Tornaeus (1) und Ehrström (20) an. In Enare soll
sein Fang, laut Fellman (15 u. 26) und Sjögren (9),
noch einen sehr bedeutenden Erwerbszweig bilden, während es in dem etwas nördlicher gelegenen Utsjoki nach

Fellman (27) nur sparsam und vereinzelt gefunden wird; für Enontekis führt es Grape (8) an. Aus dem eigentlichen russischen Laplande findet sich ausser den russischen Quellen, welche überhaupt nur das Factum constatiren, dass' auf der Kola-Halbinsel Eichhörner gejagt werden, die Angabe Middendorff's (18). Dieser zufolge soll das Eichhorn eine gleiche Verbreitung mit dem Birkhuhn haben und im Innern von Lapland nur sehr selten, nördlich vom Imandra vielleicht gar nicht mehr vorhanden sein. Dies stimmt aber meiner Ansicht nach mit der Wahrheit nicht überein. Ich selbst habe zwar nur ein Exemplar des Eichhorns im nördlichen Theile des Imandra, an der Station Rasnavolok erhalten und in Kola Felle dieses Thieres gesehen, glaube aber, dass es nördlicher als der Imandra-See hinaufsteigt und jedenfalls erst mit dem Nadelwalde zugleich, folglich erst unweit Kola, verschwindet. In verticaler Richtung soll das Eichhorn nach Collett (28) die Birkenregion nicht regelmässig bewohnen, jedenfalls aber so weit gehen, als Nadelwald vorkommt. Hiernach ist ebenfalls anzunehmen, dass seine horizontale Verbreitung nach Norden eine weitere ist, als wie sie Hr. v. Middendorff (18) angiebt.

Nach Fellman (29) soll das Eichhorn zweimal im Laufe des Sommers zu je 5—6 Junge zur Welt bringen, während nach Ehrström (20) in günstigen Jahren, wie z. B. im Jahre 1846, sogar drei Würfe, und zwar im April/Mai, im Juni und im Juli/August, vorkommen. In solchen günstigen Jahren machen dann die Eichhörner ebensolche Wanderungen, wie sie bei vielen anderen Nagethieren nachgewiesen sind.

Was die Veränderung der Färbung nach den Jahreszeiten anbetrifft, so haben wir für Lapland folgende Angaben. Nach Fellman (29) wechseln die Alten um Michaelis (Ende September) ihre Färbung, während die Jungen es nur im November thun (fraglich wo? wahrscheinlich in Enare). In Sodankylä werden sie nach Enckel (6) gegen den 15. September grau und gegen den 10. Mai wieder roth.

Das Fleisch der Eichhörner wird von den Lapländern, namentlich von den finnischen, gegessen, das Fell als Pelzwerk verkauft. Die Preise sind je nach der Anzahl der Eichhörner sehr schwankend; in solchen Jahren, wo deren viele vorkommen, soll der Preis aus erster Hand 3 — 5 Kopeken betragen, während derselbe gewöhnlich zwischen 10 und 15 Kopeken schwankt.

Fellman (29) führt vier Varietäten vom Eichhorn an, die in Lapland gefunden worden sind: 1) eine kohlschwarze, *Schappeg* genannt; 2) eine graue, deren Vorderfüsse bis zu den Knien schneeweiss sind, in Enare mehrmals erlegt; 3) eine weisse, *Jenvje oarre* genannt, hier und da in Enare gefunden, und 4) eine weiss gescheckte.

Genus 7. LEPUS L.

17. Lepus variabilis Pall.

(*L. timidus* L. — *L. borealis* Nilss.).

1. 1673. *Lepus.* Scheffer (VIII), p. 346.
2. 1748. *Hase.* Scheller (XVII), p. 53.
3. 1767. *Lepus.* Leem (XX), p. 186.
4. 1772. *Lepus timidus.* Lagus (XXII). Sv. Vet. Ak. Handl. Bd. XXXIII, p. 354.
5. 1778. *Lepus variabilis.* Pallas (XXV), p. 4.
6. 1790. *Hare.* Enckel (XXVIII). Kgl. Vet. Ak. Handl. Bd. IX, p. 78.
7. 1800. *Lepus variabilis.* Georgi (XXXI), p. 1595, n. 2.
8. 1804. — *timidus.* Grape (XXXII). Kgl. Vet. Ak. Nya Handl. Bd. XXV, p. 91.
9. 1804. *Lièvre.* Acerbi (XXXIII), T. III, p. 118.
10. 1828. *Hase.* Sjögren (XLV), p. 14, 43 und 44.

11. 1829. *White hare.* Everest (XLVI), p. 173.
12. 1835. *Hase.* Litke (LXXXVIII), p. 206.
13. 1843. *Заяц.* Рейнеке (CI), p. 49.
14. 1845. *Lepus variabilis.* Middendorff (CV). Beitr. z. Kenntn. d. Russ.
　　　　Reichs. Bd. XI, p. 170.
15. 1847. — *borealis* Nilss. Nilsson (CIX), p. 443.
16. 1849. *Заяц.* Верещагинъ (CXII), p. 42.
17. 1851. *Hare.* Malm (CXVII), p. 81.
18. 1852. *Hare.* Ehrström (CXX). Not. ur Sällsk. pr. Fl. och Fauna fenn.
　　　　Förh. p. 1.
19. 1856. *Заяц.* Поромовъ (CXXVI). Арх. Губ. Вѣд. стр. 356
20. 1865. *Заяц.* Пошманъ (CXL). Арх. Губ. Вѣд. Прилож. стр. 183.
21. 1869. *Заяц.* Дергачевъ (CXLIX). Арх. Губ. Вѣд. № 87.
22. 1869. *Заяц.* Дергачевъ (CL). Арх. Губ. Вѣд. № 103.
23. 1871. *Njammel.* Friis (CLII), p. 137.
24. 1874. *Lepus timidus* L. Lilljeborg (CLVIII), p. 431—432.
25. 1875. *Заяц.* (CLXI). Арх. Губ. Вѣд. № 24.
26. 1875. *Lepus timidus* L , *variabilis* Pall. Collett (CLXIV), Carte zoo-
　　　　géogr.
27. 1876. *Заяц.* Немировичъ-Данченко. (CLXV), стр. 38.
28. 1877. *Заяц.* Немировичъ-Данченко (CLXVI), стр. 292.
29. 1877. *Заяц.* (CLXIX). Журналъ Охоты. № 5, Т. VI, стр. 67.
30. 1877. *Lepus timidus* L. Collett (CLXX). Nyt Mag. f. Naturv. Bd. 22,
　　　　p. 86, n. 26.
31. 1877. — *variabilis.* Fellman (CLXXXIII), p. 247, n. 22.

Benennungen: Bei der russischen Bevölkerung *Sajaz* (заяцъ);
bei den Lappländern am Imandra *Nummel*, im übri-
gen Laplande *Njammel*, nach Leem, Fellman und
Friis.

Die einzige Hasenart, welche die Kola-Halbinsel bewohnt, ist der veränderliche oder Alpenhase, und zwar die
Form, welche von Nilsson als *Lepus borealis* beschrieben
worden, aber mit dem *L. variabilis* Pall. identisch ist. Wenigstens stimmen die aus Lapland gebrachten Exemplare
vollkommen mit der Beschreibung des *L. borealis* bei Lilljeborg überein, und keiner von ihnen weist die Kennzeichen der Varietät *Lepus canescens* Nilss. auf. Im westlichen Theile unseres Gebietes hat ihn Ehrström (18) in

Torneå-Lapmark, namentlich auf dem Kuituri-Berge in Menge gefunden; Everest (11) sah ihn auf dem Markte in Kengis; nach Sjögren (10) bewohnt er die Kemi-Lapmarken, namentlich Enare, von wo ihn auch Malm (17) meldet; nach Lagus (4) die Gegend von Kuusamo. Fellman(31)berichtet von seinem Vorkommen bei Utsjoki und Sodankylä, und Grape (8) nennt ihn aus Enontekis.. Collett (30) und Friis (23) erwähnen seiner aus der Gegend des Varanger-Fjordes, Letzterer aus dem Sydvaranger. Aus der Gegend von Kola führt ihn Georgi (7) an, und mir gelang es ebenfalls in Kola ein junges Thier zu erhalten, so wie einen Balg im Winterkleide. An der Tuloma soll er nach Nemirowitsch-Dantschenko (28) vorkommen. Im Innern des Landes, am Imandra, hat ihn Middendorff (14) auf den Chibinschen Bergen (Umpdück-Tundra) erlegt, während ich daselbst nur seine Spuren fand. Am Rasnavolok, am Imandra, soll er nach Nemirowitsch-Dantschenko (27) massenweise vorkommen; doch finde ich diese Angabe nicht glaubwürdig, da mir gerade die Gegend um den Rasnavolok als besonders arm an Thieren erschien. Im südlichen Theile, in der Gegend von Kandalakscha, erhielt W. Lawrow ein ausgewachsenes Exemplar. Weiter östlich hat nur Lütke (12) den Hasen nachgewiesen, indem er ihn auf dem Olenij-Ostrow (Renthier-Insel) fand, einer Insel, die im Eismeere bei der Bucht Stscherbinicha liegt. Aus allen diesen Angaben ist zu ersehen, dass der Hase über unser ganzes Gebiet verbreitet ist und nur über dessen Vorkommen im östlichen Theile Nachrichten fehlen. Doch kommt er durchaus nicht überall in gleicher Anzahl vor, was durch seine vertikale Verbreitung zur Genüge erklärt wird. Nach Nilsson (15), Lilljeborg (24) und Col-

lett (30) ist er ein Bewohner der Birken- und Weidenregion und steigt bis zur Grenze des ewigen Schnees hinauf. Im russischen Laplande bestätigt sich diese Angabe vollkommen, denn während er um den Imandra-
See nicht zu finden war, waren seine Spuren auf der Tundra des Umpdück sehr zahlreich und fand er sich auch in
Kola, wo die Birkenregion auftritt, in nicht unbedeutender Menge, indem dort in wenigen Tagen mehrere Exemplare gesehen wurden.

Nach Ehrström (18) tritt der Hase in besonders
günstigen Jahren sehr zahlreich auf, so dass während der
Lemmingswanderung der Jahre 1839—40 auf dem Berge
Kuituri in Torneå-Lapmark 130 Hasen erlegt wurden.
Nach Fellman (31) soll er in Sodankylä zweimal im
Laufe des Sommers werfen, in Utsjoki aber nur einmal.
In der Gegend von Kola glaube ich zwei Würfe annehmen
zu müssen, da mein am 15. August erbeutetes Exemplar
zu klein war, um von einem Frühlingswurfe zu stammen.
Das Fleisch des Hasen wird von den Lapländern nicht
gegessen und das Fell für 20 — 30 Kop. verkauft.

Genus 8. CASTOR L.

18. Castor fiber L.

1. 1672. *Bäfwer.* Tornaeus (VII), IX, p. 43.
2. 1673. *Castor.* Scheffer (VIII), p. 339.
3. 1707. *Bieber.* Örn (XII), p. 60.
4. 1748. *Bieber.* Schellèr (XVII), p. 51.
5. 1753. *Biber.* Pontoppidan (XIX), p. 51 und 52.
6. 1767. *Fiber castor.* Leem (XX), p. 203.
7. 1772. *Castor Fiber.* Lagus (XXII). Kgl. Vet. Ak. Handl. Bd. XXXIII, p. 354.
8. 1798. — *fiber.* Thunberg (XXX), p. 43.
9. 1804. *Bäfver.* Wahlenberg (XXXIV), p. 49 und 77.

10. 1804. *Castor fiber.* Grape (XXXII). Kgl. Vet. Ak. Nya Handl. Bd. XXV p. 91.

11. 1804. — *Fiber (le castor).* Acerbi (XXXIII), T. III, p. 126, 132.

12. 1804. *Бобръ.* Озерецковскій (XXXV), стр. 55.

13. 1811. *Beaver.* Linné u. Smith (XXXVI), Vol. I, p. 88.

14. 1813. *Бобръ.* Молчановъ (XXXVIII), стр. 239.

15. 1828. *Biber.* Sjögren (XLV), p. 14 und 43—44.

16. 1830. *Бобръ.* Рейнеке (XLVIII), стр. 30.

17. 1831. *Bäfver.* Keilhau (XLIX), p. 63.

18. 1834. *Bäfver.* Burman (LXXV). Tidskr. f. Jäg. och Naturf. Bd. III, p. 876.

19. 1834. *Bäfver.* Laestadius (LXXIII). Ibidem, p. 875.

20. 1834. *Bäfver.* Bergenstråle (LXXIV). Ibidem, p. 875.

21. 1834. *Bäfver.* (LXXII). Ibidem, Bd. III, p. 865.

22. 1835. *Бобръ.* Делеръ (LXXXVII). Лѣсной Журналъ. Т. IV, кн. 2, стр. 307.

23. 1838. *Biber.* Baer (LXXXIX). Bull. sc. T. III, p. 142.

24. 1840. *Biber.* Böhtlingk (XCII). Bull. sc. T. VII, p. 127.

25. 1843. *Бобръ.* Рейнеке (CI), стр. 49.

26. 1845. *Бобръ.* Геогр.-стат. обозр. Арх. Губ. (CVII). Арх. Губ. Вѣд. стр. 330.

27. 1845. *Бобръ.* Пушкаревъ (CVI). Т. I, кн. 2, Отд. 2, стр. 24 и 112.

28. 1845. *Castor fiber.* Middendorff (CV), p. 170 u. 177.

29. 1847. — *Fiber.* Nilsson (CIX), p. 416—418.

30. 1849. *Biber.* Stuckenberg (CXI), Bd. VI, p. 103.

31. 1849. *Бобръ.* Верещагинъ (CXII), стр. 42.

32. 1851. *Biber.* Schmidt (CLXXXV), p. 59.

33. 1852. *Бобръ.* Взглядъ на пром. Арх. Губ. (CXIX). Сынъ Отечества Т. VI, стр. 16.

34. 1854. *Castor Fiber.* Brandt (CXXIII), p. 42.

35. 1856. *Бобръ.* Поромовъ (CXXVI). Арх. Губ. Вѣд. стр. 356 и 381.

36. 1860. *Biber.* Ziegler (CLXXXVI), p. 112.

37. 1862. *Boever.* Nordvi (CXXXIII). Öfv. af Kgl. Vet. Ak. Förb. Bd. XIX, p. 304.

38. 1865. *Бобръ.* Пошманъ (CXL). Арх. Губ. Вѣд. Прилож. стр. 183.

39. 1869. *Бобръ.* Дергачевъ (CXLIX). Арх. Губ. Вѣд. № 87.

40. 1869. *Бобръ.* Дергачевъ (CL). Арх. Губ. Вѣд. № 103.

41. 1874. *Castor fiber* L. Lilljeborg (CLVIII), p. 362.

42. 1875. *Biber.* Middendorff (CLXII), p. 852.

43. 1876. *Бобръ.* Немировичъ-Данченко (CLXV), стр. 96.

44. 1877. *Бобръ.* Немировичъ-Данченко (CLXVI), стр. 40.

45. 1877. *Castor fiber* L. Collett (CLXX). Nyt Mag. f. Naturv. Bd. 22, p. 80, n. 24.

46. 1882. *Beaver.* Cocks (CLXXXIV). Zoologist, p. 16.

47. 1882. *Castor Fiber.* Fellman (CLXXXIII), p. 248, n. 23.

Benennungen: Bei der russischen Bevölkerung *Bobr* oder *Bobjör* (бобръ, боберъ); die Lapländer nennen den Biber im russischen Lapland *Magij* oder *Magintsch* (nach meinen Erkundigungen), im übrigen Lapland *Majeg* (nach Leem, Acerbi, Nilsson, Fellman), oder auch *Nadjeg*, oder *Vadnem* (nach Fellman).

Gegenwärtig kann man annehmen, dass der Biber in dem von uns zu betrachtenden Gebiete ausgerottet ist. Denn wenn auch vielleicht in den entlegensten, am wenigsten bevölkerten Theilen Laplands hier oder da ein Biber sich zeigen mag, so darf man doch annehmen, dass er nur zufällig dem Schicksale seiner Verwandten entronnen sei. Jedenfalls ist er aber auch an solchen Orten so vereinzelt, dass er seine frühere Lebensart gänzlich aufgegeben hat, keine colonialen Baue mehr errichtet und als einzelnes Individuum (in Skandinavien *Flyttbäfvar* genannt) seine Existenz so lange hinzieht, bis sie dem Menschen bekannt wird und er demselben zur Beute fällt. Aus diesem Grunde kann man jetzt nur über die frühere Verbreitung des Bibers in Lapland sprechen und allenfalls die Geschichte seines allmählichen Verschwindens auf Grund litterarischer Quellen entwerfen. Letzteres wollen wir zu thun versuchen.

In den entfernteren Zeiten muss der Biber in Lapland ungemein häufig gewesen sein, da Nordvi (37) in alten, heidnischen Lappengräbern häufig Fragmente von Biberzähnen gefunden hat. Ferner berichten Nordvi (37) und Collett (45), dass bei Bauten in Mortensnaess und Vardö ganze Handvoll Biberzähne gefunden worden sind. Nordvi (37) hat auch einen gut conservirten Schädel nebst Zähnen aus einem Lappengrabe erhalten. Aus diesen Angaben muss man schliessen, dass damals die Biber dort in sehr bedeutender Anzahl vorkamen, da nicht anzunehmen ist, dass diese Zähne aus fernen Gegenden gebracht worden sind, und Collett (45) wohl Recht hat, wenn er behauptet, dass die ausgegrabenen Exemplare aus dem Syd-. Varanger und russischen Lapland stammten.

Aus dem XVII. und XVIII. Jahrhundert haben wir ebenfalls Nachrichten über den Biber in Lapland, doch sind die meisten Angaben so beschaffen, dass die genaueren Fundorte nicht angegeben sind, sondern nur Lapland überhaupt angeführt wird. Laut allen diesen Angaben hat der Biber bis zum Ende des XVIII. Jahrhunderts in Menge in Finmarken und den südlicheren Lapmarken gelebt, und erst zu Ende des XVIII. Jahrhunderts scheint er seltener zu werden. Tornaeus (1) zählt im Jahre 1672 den Biber unter den Thieren von Torneå- und Kemi-Lapmark auf. Scheffer (2) bemerkt 1673, dass die Biber in Lapland zahlreich seien, weil das Land an Fischen reich ist und sie daher reichliche Nahrung haben! 1753 berichtete Pontoppidan (5) von Biberbauen, und 1767 erklärte Leem (6) Indagria, im schwedischen Lapland, und Enare für seine Hauptsitze. Im Jahre 1772 erhalten wir genauere Kunde über den Biber durch Lagus (7), nach welchem der Biber früher in der Landschaft Kuusamo häufig gewesen ist, zu Ende des XVIII. Jahrhunderts sich aber nur vereinzelt zeigte. Es finden sich nämlich in jenen Gegenden Stellen, wo der Wald von Bibern gefällt ist; solche Stellen werden *Majavanperkaupet* genannt. Im folgenden Jahre berichtete derselbe Lagus auch genauer über den Biberfang in jenen Gegenden. Thunberg (8) spricht ebenfalls über das Vorkommen des Bibers bei Kuusamo und betont gerade den Umstand, dass er daselbst an den Flüssen seine Behau-

sungen errichte. Er giebt ferner eine sehr genaue Cha-
·rakteristik der Beschaffenheit der Gegenden, welche von
Bibern bewohnt sind. Sehr möglich ist es jedoch, dass
diese Angaben den Arbeiten von Lagus entnommen sind
und folglich nichts zur Kenntniss der damaligen Verbreitung des Bibers beitragen.

Wahlenberg (9) giebt im Jahre 1807 genauere Nachrichten über die Verbreitung des Bibers in Kemi-Lapmark (im weitesten Sinne). In Enare war nach ihm damals schon das umgekehrte Verhältniss eingetreten, als
es zu Leem's Zeiten gewesen, indem die Anzahl der Biber gering war; doch konnten diese, in Folge von Streitigkeiten mit den Bewohnern von Kittilä, von den Enare-
Bauern im oberen Laufe des Ivalajoki, wo sie sich
hauptsächlich aufhielten, nicht gejagt werden. In Sodankylä wurden einzelne Biber von den Bewohnern von
Kittilä, namentlich im Anfange des Kittinenjoki, gefangen. Im Jahre 1804 berichtete Acerbi(11) über das Vorkommen des Bibers in verschiedenen Theilen von Finmarken (ohne genauere Angaben) und sogar über weisse Exemplare desselben, und Grape (10) gab Nachricht über dessen Vorkommen in Enontekis, wo er selten sein sollte.

Nach Oseretzkowski (12) kam der Biber um dieselbe Zeit vereinzelt an den Gestaden des russischen Laplands vor, eine Angabe, die jedenfalls nicht richtig ist,
da der Biber um jene Zeit bestimmt an den Flüssen gelebt
hat, die sich in der Nähe von Kola in's Eismeer ergiessen,
nicht aber am Meeresufer selbst. Von den Bewohnern des
Schobenskij und Ratnij Pogost sollen als Tribut jährlich
je zwei Biberfelle von jedem eingelaufen sein. Um 1813 berichtete Moltschanow (14), dass an den Meeresufern der
Kola-Halbinsel viele Biber gefangen würden, deren Felle

in den Handel kämen. Diese Angabe ist vollkommen unbegründet und basirt wohl nicht auf Thatsachen. Zuver-
lässiger sind die Angaben Sjögren's (15) vom Jahre 1828,
laut welchen der Biber in den Kemi-Lapmarken schon
gänzlich fehlte, während er in Enare noch vorkam, aber
selten war. Keilhau (17) hat um dieselbe Zeit in Ost-Finmarken an der Tvaer-Elf, zwischen dem Tana- und dem
Varanger-Fjorde, Biber gefunden. Im Jahre 1830 erhalten wir von Reineke (16) genauere Angaben über das Vorkommen des Bibers im russischen Lapland; laut denselben beschränkt sich der Biber auf die Flusssysteme der
Tuloma, der Pasvig-Elf und der Njawdema. Diese Angabe ist aus zwei Gründen besonders interessant. Einerseits hat sich der Biber im russischen Lapland in diesen Flüssen in der That am längsten erhalten; andererseits
haben fast alle späteren russischen Schriftsteller diese
Angabe wörtlich wiedergegeben, ohne zu berücksichtigen,
dass sich die Verhältnisse mit der Zeit geändert haben.
Darauf brachte im Jahre 1834 die «Tidskrift for Jägare
och Naturforskare» eine umfangreiche Arbeit über die Biber-
jagd, welcher verschiedene Notizen über die Verbreitung
des Bibers beigefügt sind. Diesen zufolge soll der Biber,
nach Angabe der Herren Bergenstråle (20) und Burman
(18), im südlichen Lapland um Haparanda und Karungi nicht mehr vorkommen, weiter nördlich aber noch
in einzelnen Exemplaren auftreten, ohne jedoch in Colonien
zu wohnen. Dies bestätigt auch Laestadius (19) für Karesuando und das ganze Torneå-Lapmark. In Peldo-
vuome soll es früher viel Biber gegeben haben, jetzt aber
werden dort nur einzelne Exemplare gefunden. Nach Döh-
ler(?) (Делеръ, 22) sind im Jahre 1835 noch 15 Biber
aus dem Kreise Kola in den Handel gekommen.

Im Jahre 1838 besuchte der Akademiker K. E. v. Baer (23) das russische Lapland, berichtete aber nur, dass Biberfelle einen dortigen Ausfuhrartikel bilden. Ungefähr aus derselben Zeit stammen die wichtigen Nachrichten über den Biber, die Fellman (47) lieferte. Nach ihm ist der Hauptsitz des Bibers früher Enare gewesen, indem dort vor 60—70 Jahren (vor dem Erscheinen des Fellman'schen Werkes) jährlich Hunderte gefangen wurden, während in den mehr bevölkerten Landschaften Sodankylä, Kuolajärvi, Kittilä, Kuusamo und Enontekis die Biber immer seltener waren. In den genannten Gegenden konnte man, mit Ausnahme von Kuolajärvi und Kemikylä, zu Fellman's Zeit keine oder nur sehr vereinzelte Biber antreffen. Die ehemals grossen Mengen dieses Thieres waren durch schonungslose Vertilgung fast gänzlich ausgerottet. Auch zu Fellman's Zeit wurde den Thieren gegenüber durchaus keine Schonung geübt; er führt sogar einen Fall-an, wo in Sodankylä im Jahre 1829 drei ganz junge Biber für einen geringen Preis verkauft wurden, während doch die Erwachsenen einen viel bedeutenderen Gewinn geliefert hätten. Nur noch in den Flüssen Nuorti und Konda (wahrscheinlicher Kanda) sollen bis zu seiner Zeit Biber in ihren Behausungen gewohnt haben, weil die localen Verhältnisse ihre gänzliche Vertilgung sehr erschwerten. Fellman (47) selbst hat eine solche Behausung, aus welcher die Einwohner vor einigen Jahren weggefangen worden waren, untersucht und beschrieben. Aus der Gegend desselben Nuortijoki brachte Böhtlingk (24) im Jahre 1840 Baumstämme mit, die von Bibern gefällt waren, und berichtete, dass an dem bezeichneten Flusse, so wie an seinen Nebenflüssen der Biber noch in ziemlicher Menge vorkomme. Im Jahre 1840 besuchten K. E. v. Baer und A. v. Middendorff das russische Lapland und sammelten interessantes Material 'über den Biber. Baer brachte ein Exemplar des Bibers aus der Gegend von Kola mit, dessen Brandt (34) später erwähnt, während Middendorff (28 u. 42) am Imandra Jagd auf einen Biber machte und ausserdem erkundschaftete, dass dieses Thier im russischen Lapland an kleineren Flüssen, z. B. einem Nebenflusse der Kanda, noch vorkomme, jedoch schon recht selten sei; so lieferte Kandalakscha nicht mehr als 4—5 Biberfelle im Jahre nach Archangelsk. Die russischen Schriftsteller dieser Zeit, wie Puschkareff (27) und der Autor einer Abhandlung in den Архàнг. Губ. Вѣд. (26), wiederholen nur die Angaben von Reineke (16 u. 25), Stuckenberg (30) aber diejenige von Böhtlingk (24). Im Jahre 1847 gab Nilsson (29) an, dass alle Bibercolonien des nördlichen Laplands zerstört seien und nur hin und wieder ein einzelner sogenannter *Flyttbäfvar* zu finden sei, der aber von den Lappländern auch sogleich getödtet werde. Werestschagin (31) berichtete im Jahre 1849, dass in einigen Flüssen des russischen Laplands noch Biber vorkommen, was wohl nur eine Variante der früheren Angabe Reineke's ist. Schmidt (32) zählte im Jahre 1850 den Biber, welcher noch sporadisch vorkommen sollte, zu den aussterbenden Thieren. Für das russische Lapland finden wir im Сынъ Отечества (33) eine Angabe, dass in den oceanischen Flüssen der Kola-Halbinsel Biber gefangen werden, dass sie aber dort schon sehr selten geworden sind. Diese Angabe, in Verbindung mit der alten Reineke'schen, wird von Poromoff (35) wiederholt. Genauere Nachrichten erhalten wir im Jahre 1862 von Nordvi (37), laut welchen noch jährlich einzelne Biber zwischen der Pasvig-Elf und Enare gefangen werden. So sollen im Jahre 1860 russische Lapländer gegen drei Pfund ، Bibergeil verkauft haben. Ebenso unbestimmt wie alle anderen russischen Angaben sind auch diejenigen von Poschman (38) und Dergatscheff (39 u. 40), da sie nur die Angabe Reineke's wiederholen, die für das Ende der sechziger Jahre schon kaum zutreffend ist. Dergatscheff (40) berichtet nur ein Factum, dass nämlich im Jahre 1867 ein Biber an der Tuloma erlegt worden ist. Lilljeborg (41) hat in Archangelsk im Jahre 1848 einen ausgestopften Biber gesehen, dessen Balg aus Kola stammte. Nemirowitsch-Dantschenko (43 u. 44) spricht die Meinung aus, dass der Biber in Lapland schon gänzlich ausgerottet sei, und zwar in den zwanziger Jahren des XIX. Jahrhunderts. Nach Collett (45) endlich soll der Biber bis zum Jahre 1819 am Jacobs-Flusse gelebt haben und ein Individuum noch im Jahre 1830 an der Ikoaro-Elf oberhalb Polmuk zu bauen angefangen haben. Doch glaubt er, dass dieses Exemplar später in Karasjok erlegt worden ist. Die letzten Spuren sollen nach Nordvi vom Jahre 1860 datiren, wo zwei Felle von Finnen zum Kaufe angeboten wurden und ein junges Exemplar, welches sich wahrscheinlich aus dem russischen Lapland verlaufen hatte, bei Naesseby am Varanger-Fjorde getödtet wurde. Nach Collett soll der Biber an den meisten Orten in den dreissiger und vierziger Jahren verschwunden sein [1]).

Während meines Aufenthalts in Lapland habe ich nur erfahren können, dass der Biber der Bevölkerung sehr wohl bekannt, aber in den vierziger Jahren gänzlich verschwun-

---

1) Nach Mittheilungen des Lensmanns Klerk in Syd-Varanger tragen die «Skoltifinnen» Verbrämungen aus Biberfell; auch hat sein finnischer Diener im Jahre 1865 einen Biberdamm in brauchbarem Zustande im Ivalajoki gefunden.

den ist. Als ein sehr ergiebiger Fangplatz wurde mir das Flüsschen Montscha genannt, welches auf der Montscha-Tundra entspringt und nicht weit vom Rasnavolok sich in die Montscha-Bucht des Imandra-Sees ergiesst. Dort soll der Biber namentlich solche Stellen zu seinem Aufenthalte gewählt haben, wo der Fluss einen ruhigeren Lauf hat und niedriger Birkenwald in der Nähe zu finden ist. Ausserdem erfuhr ich in Kola, dass 10—12 Werst von der Stadt am Flusse Kola noch ein einzelner Biber leben soll. Sollte dies der Fall sein, so wird dieses Exemplar seinem Schicksale gewiss nicht entgehen, da in der Nähe seines Aufenthaltsortes ein Schwede sich angesiedelt hat, welcher dem Treiben des Thieres wohl bald ein Ende machen wird. — Im «Zoologist» vom Jahre 1882 finden wir eine Abhandlung über den Biber in Norwegen, der wir entnehmen, dass er im Flusse Torneå, wo er sich länger erhalten hat, schon seit dreissig Jahren nicht mehr beobachtet worden ist.

Aus den angeführten Daten ersieht man, dass der Biber bis zum Ende des XVIII. Jahrhunderts in ganz Lapland in bedeutender Menge vorkam, später aber in Folge der furchtbaren Verfolgungen gänzlich ausgerottet worden ist. Am längsten hat er sich natürlich in den weniger bewohnten und unzugänglicheren Gegenden erhalten, wie z. B. im nordwestlichen Winkel des russischen Laplands, an den Flüssen Tuloma, Njawdema und Pasvig, und andererseits am Nuortijoki und an der Kanda. Im Anfange des XIX. Jahrhunderts hat er in Folge der Verfolgungen seine Lebensweise in Colonien aufgeben müssen, und seitdem sind nur einzelne, sogenannte *Flytbäfvar* angetroffen worden, mit Ausnahme der oben angeführten, begünstigteren Gegenden, wo der Biber noch familienweise in seinen Bauen gelebt hat. In den dreissiger und vierziger Jahren ist er so selten geworden, dass seine Jagd nur Sache des Zufalls und durchaus nicht mehr regelmässiger Erwerbszweig geworden ist. Seit jener Zeit finden wir nur ganz vereinzelte Angaben über getödtete Biber oder überzeugen uns davon, dass der Biber gänzlich ausgerottet worden ist.

Seine Aufenthaltsorte waren gewöhnlich kleine Flüsschen mit langsam fliessendem Wasser, die leichter mit Dämmen zu versehen waren. Eine weitere Bedingung seiner Existenz war niedriger Laubwald, den er leichter zu seinen Behausungen fällen und benutzen konnte. Aus diesem Grunde ist wohl anzunehmen, dass er gerade die *Regio subalpina* bewohnt haben muss, oder jedenfalls Gegenden, welche denselben Charakter haben wie diese.

Der Grund seines frühzeitigen Unterganges liegt in dem hohen Gewinn, den das getödtete Thier lieferte. Allen Angaben und auch meinen eigenen Erkundigungen zufolge gaben das Fell des Thieres und das Bibergeil einen Ertrag von 100 Rubel Banko oder 30 Rubel Silber. Dieser hohe Preis, den allenfalls nur der sehr seltene Blaufuchs erreicht, und die geringe Mühe, einen Biber zu fangen, sind die Gründe für seine schnelle und vollständige Ausrottung.

Ordo IV. CARNIVORA.

Genus 1. FELIS L.

19. Felis Lynx L.

1. 1672. *Lo.* Tornaeus (VII), Bd. IX, p. 43.
2. 1675. *Luchs.* Martinière (X), p. 62.
3. 1767. *Lynx.* Leem (XX), p. 192.
4. 1772. *Felis Lynx.* Lagus (XXII). Kgl. Vet. Ak. Handl. Bd. XXXIII, p. 355.
5. 1804. — *Lynx.* Grape (XXXII). Kgl. Vet. Ak. Nya Handl. Bd. XXV, p. 91.

6. 1804. *Lynx.* Acerbi (XXXIII), T. III, p. 121.

7. 1804. *Рысь.* Озерецковскій (XXXV), стр. 55.

8. 1827. *Lynx.* Capell-Brooke (XLIV), p. 190.

9. 1828. *Luchs.* Sjögren (XLV), p. 43 u. 44.

10. 1834. *Lodjur.* Bergenstråle (LXX). Tidskr. f. Jäg. och Naturf. Bd. III, p. 785.

11. 1834. *Lodjur.* Burman, Fale (LXXI). Ibidem, p. 787.

12. 1845. *Felis Lynx* L. Middendorff (CV), p. 71.

13. 1847. — *Lynx* L. Nilsson (CIX), p. 132.

14. 1849. — *Lynx* L. Schrenck, L. v. (CX), p. 30, 37, 39, 40, 50, 54.

15. 1851. *Luchs.* Schmidt (CLXXXV), p. 59.

16. 1868. *Gaup.* Rasch (CXLVI). Förh. i Vid. Selsk. i Christ. p. 12.

17. 1877. *Felis Lynx* L. Collett (CLXX). Nyt Mag. f. Naturv. Bd. 22, p. 87, n. 27.

18. 1877. *Felis Lynx.* } Fellman (CLXXXIII), p. 230, n. 10 u. 11.
       Felis Lyncula. }

Benennungen: Den auf der Kola-Halbinsel gebräuchlichen russischen Namen habe ich nicht erfahren, glaube aber, dass auch dort der Luchs *Ryssj* (рысь) genannt wird. Der lappländische Name (am Imandra) ist *Ilbas*, was ziemlich gut mit *Ilvas* übereinstimmt, dem Namen, welchen Fellman für Enare angiebt. Ausserdem führt Fellman noch den Namen *Oalpes* an, während in Finmarken nach Leem *Albos*, nach Collett *Albas* der gebräuchliche Name ist.

Zur Bestimmung der geographischen Verbreitung des Luchses auf der Kola-Halbinsel besitzen wir ziemlich bedeutendes Material; doch glaube ich der Bearbeitung desselben einige Bemerkungen über die Polargrenze der Verbreitung dieses Thieres vorausschicken zu müssen. Hierbei müsste ich natürlich mit einer Rüge gegen diejenigen Forscher beginnen, welche die Polargrenze des Luchses, sowie auch anderer Thiere, mit einem Breitengrade zu bezeichnen versucht haben; doch bin ich dieser Mühe überhoben, da die treffliche Arbeit des Hrn. Akad. L. v. Schrenck die Irrthümlichkeit dieser Versuche klar bewiesen hat und ich zu seiner Beweisführung durchaus nichts hinzuzufügen habe. Ich kann mich daher auf den Ausspruch beschränken, dass ich mit den Schlüssen jener Arbeit über die Polargrenze des Luchses vollkommen einverstanden bin, glaube aber doch einige Ergänzungen geben zu müssen. So scheint es mir, dass die Bestimmung seiner Polargrenze an Präcision gewinnen würde, wenn man diese Grenze, statt mit der Polargrenze des Waldes, mit derjenigen des Nadelwaldes in Verbindung bringen würde. Die baumlose Tundra wird nämlich vom Nadelwalde durch die *Regio subalpina* getrennt, in deren tiefer gelegenen Theilen noch ziemlich guter Birkenwald vorkommt, der jedoch, meiner Ansicht nach, vom Luchse nicht mehr bewohnt wird. Ich glaube, dass diese Ansicht auch mit derjenigen des Hrn. v. Schrenck vollkommen übereinstimmt, da er sagt, dass der «nordische Waldsaum, «wo der Wald, allmählich verkrüppelnd und endlich knor- «rig niedergestreckt, als kriechendes Gesträuch gegen die «waldlose Ebene ausläuft, dem Luchse nicht mehr zum blei- «benden Wohnorte dient.» Wäre die Bezeichnung «Nadel- wald» gebraucht worden, so wäre diese Erklärung über- flüssig und das Resultat das nämliche. Auch tritt die Zu- sammengehörigkeit des Luchses mit dem Nadelwalde sehr deutlich an seiner Südgrenze zu Tage. Der Luchs hört mit dem Beginne der Steppe auf, erscheint aber wieder auf dem Kaukasus, wo Nadelwald vorhanden ist.

Hr. v. Schrenck sagt ferner, auf p. 39, dass der Luchs wohl daher an den hochstämmigen Wald gebunden sei, weil er nach Katzenart «seine Beute erst schleichend und dann «im Sprunge zu erhaschen sucht, wozu ihm die waldlosen «Ebenen zu wenig Verstecke bieten mögen.» Mit dieser An- sicht kann ich nicht ganz übereinstimmen, indem ich glaube, dass der Luchs in Folge seiner Jagdart schon durch den Theil der *Regio subalpina*, in welchem nach Anderson die *Betula glutinosa* vorherrscht, aufgehalten wird. Denn wenn man dieser Region den Waldcharakter auch nicht absprechen kann, so ist dieselbe doch so stark mit Unterholz bewachsen, dass der Luchs zwar geeignete Verstecke finden kann, aber durchaus nicbt im Stande ist seine Sprünge anzubringen, während er im Nadelwalde, der weniger Unterholz besitzt, seine Angriffsweise mit Erfolg benutzen kann. Dieser Pflanzengürtel, und nicht der Mangel an Verstecken auf der baumlosen Ebene, ist. das Hinderniss zur weiteren Verbreitung des Luchses nach Norden.

Wenn wir also annehmen, dass der Luchs dieselbe Verbreitung auf der Kola-Halbinsel hat, wie der Nadelwald, so können wir sein Verbreitungsgebiet in folgender Weise bezeichnen. Seine Polargrenze beginnt auf dem Terskischen oder Kandalakscha-Ufer und geht dann quer durch Lapland, schneidet ungefähr bei der Station Masselga den Weg zwischen Kola und Kandalakscha und erreicht seinen nördlichsten Punkt in Enare und am Varanger-Fjorde. Doch ist der Luchs in Lapland höchst selten und den Lapländern nur dem Namen nach bekannt. Auf den Bergen geht der Luchs wohl ebenfalls bis zur *Regio subalpina*. Dies bestätigt auch Collett (17), nach welchem der Luchs zwar bis zur Weidenregion gefunden worden ist, jedoch in der Regel nicht höher als bis zur Grenze des Nadelwaldes hinaufsteigt. Vom Terskischen Ufer, so wie überhaupt vom ganzen östlichen Theile der Halbinsel fehlen uns jegliche Nachrichten über das Vorkommen des Luchses. Erst auf der Strecke zwischen Kandalakscha und Kola hat Hr. v. Middendorff (12) von dessen häufigem Vorkommen am Imandra-See Nachricht gegeben.

Es ist sehr schwer zu sagen, aus welchem Grunde diese
Angabe gegenwärtig nicht mehr zutreffend ist. Möglich
ist es, dass vor 40 Jahren die Anzahl der Luchse beden-
tend gewesen sein mag, während jetzt alle Lapländer das
Thier zwar kennen, jedoch es als äusserst selten bezeichnen. Aus der Umgegend von Kola haben wir Nachrichten von Oseretzkowski (7) und Martinière (2). Ersterer berichtet, dass die Luchse den Lemmingszügen folgen; Letzterer hat Luchsfelle in Kola gekauft. Es ist jedoch sehr wahrscheinlich, dass diese Felle aus dem Inneren
von Lapland stammten, z. B. aus der Umgegend des
Imandra- oder des Noto-Sees, und nach Kola nur im
Handel gelangt waren. In der Gegend von Enare ist der
Luchs nach Sjögren (9) sehr selten, ebenso wie nach Grape
(5) in Enontekis. Doch ist er sogar noch nördlicher vorgekommen. Collett (17) berichtet wenigstens, dass nach
einer Mittheilung des Prof. Friis der Luchs den Einwohnern von Finmarken bekannt ist und einen besonderen
Namen (*Albas*) bei ihnen führt. Ferner erzählt der Lensman
Klerk, dass der Luchs sich zwar selten, aber doch zuweilen im Syd-Varanger-Districte zeigt, und Nordvi erwähnt eines Exemplares, welches am Varanger-Fjorde
erlegt worden ist. Dennoch ist der Luchs in Finmarken
eine höchst seltene Erscheinung, was z. B. auch dadurch
bestätigt wird, dass nach den statistischen Tabellen, welche
Prof. Rasch (16) veröffentlicht hat, in den Jahren 1861—
1865 in Finmarken keine einzige Geldprämie für einen
erlegten Luchs gezahlt worden ist. Für den südwestlichen Theil haben wir Nachrichten aus Haparanda und
Karungi in Torneå-Lapmark, dank den Angaben
von Bergenstråle (10) und Burman (11). Ersterer berichtet, dass einzelne Luchse zur Winterzeit in Tor-

neå-Lapmark gefunden werden; Letzterer glaubt, dass auch diese eingewandert sind. Unter den Thieren von Torneå- und Kemi-Lapmark verzeichnet auch J. Tornaeus (1) den Luchs. Auf dieselben Gegenden haben auch die folgenden Nachrichten Fellman's (18) Bezug. Die Luchse sollen sich in Lapland nicht fortpflanzen, sondern entweder von der finnischen, oder von der norwegischen Seite einwandern, wo sie häufiger sein sollen. Die Einwohner unterscheiden, nach Fellman, zwei Luchsarten, von denen die eine das Renthier vom Baume, die andere, vom Boden aus anfällt. Da es eine bekannte Thatsache ist, dass die jungen Luchse häufiger auf Bäume steigen, so kann man wohl annehmen, dass die Leute die jungen und die alten Thiere auf diese Weise unterscheiden. Selbst in Kuusamo soll der Luchs, nach Lagus (4), nicht ständig vorkommen.

Der Luchs ist jedenfalls so selten in Lapland, dass von einer Schädlichkeit desselben in der dortigen Gegend nicht die Rede sein kann. Auch für das Fell existirt kein fester Preis, da dasselbe nur ausnahmweise in den Handel gelangt.

Genus 2. CANIS L.

20. Canis lupus L.

1. 1672. *Warg*. Tornaeus (VII), Bd. IX, p. 43.
2. 1673. *Lupus*. Scheffer (VIII), p. 338.
3. 1707. *Wolf*. Örn (XII), p. 59.
4. 1748. *Wolf*. Scheller (XVII), p. 51.
5. 1767. *Lupus*. Leem (XX), p. 192.
6. 1772. *Canis lupus*. Lagus (XXII). Sv. Vet. Ak. Handl. Bd. XXXIII, p. 354.
7. 1804. *Varg*. Wahlenberg (XXXIV), p. 29 u. 49.
8. 1804. *Canis lupus*. Grape (XXXII). Kgl. Vet. Ak. Nya Handl. Bd. XXV, p. 90 u. 91.
9. 1804. *Loup*. Acerbi (XXXIII), T. III, p. 121.

10. 1819. *Wolf.* Bedemar (XXXIX), p. 177.

11. 1823. *Wolf.* Schubert (XLI), p. 374.

12. 1828. *Wolf.* Sjögren (XLV), p. 14, 43 u. 44.

13. 1830. *Волкъ.* Рейнеке (XLVIII), стр. 28 и 30.

14. 1832. *Varg.* Wright, W. v. (LXV). Tidskr. f. Jäg. och Naturf. Bd. I, p. 297.

15. 1833. *Varg.* Laestadius (LXVII). Ibidem. Bd. II, p. 547.

16. 1834. *Canis lupus* L. Melchior (LXIX), p. 17.

17. 1835. *Wolf.* Litke (LXXXVIII), p. 189.

18. 1843. *Волкъ.* Рейнеке (CI), стр. 49.

19. 1844. *Varg.* Fellman (CII), p. 95, 129.

20. 1845. *Canis lupus.* Middendorff, v. (CV). Beitr. z. Kenntn. d. Russ. Reichs. Bd. XI, p. 171.

21. 1847. — *lupus* L. Nilsson (CIX), p. 223, 225.

22. 1849. *Волкъ.* Верещагинъ (CXII). стр. 39, 40—41.

23. 1851. *Varg.* Malm (CXVII), p. 79.

24. 1852. *Волкъ.* Взгл. на пром. Арх. Губ. (CXIX). Сынъ Отечества, Т. VI, стр. 13.

25. 1856. *Волкъ.* Поромовъ (CXXVI). Арх. Губ. Вѣд. стр. 356, 381.

26. 1860. *Wolf.* Ziegler (CLXXXVI), p. 112.

27. 1861—1862. *Волкъ.* Соловцовъ (CXXXI). Арх. Губ. Вѣд. стр. 392 (1861 г.), стр. 77 (1862 г.).

28. 1865. *Волкъ.* Пошманъ (CXL). Арх.Губ.Вѣд. Прилож. стр. 183.

29. 1868. *Волкъ.* Михайловъ (CXLVII), стр. 186, 208, 209, 225.

30. 1868. *Ult.* Rasch (CXLVI). Förh. i Vid. Selsk. i Christ. p. 12.

31. 1869. *Волкъ.* Дергачевъ (CXLIX). Арх. Губ. Вѣд. № 87.

32. 1869. *Волкъ.* Дергачевъ (CL). Арх. Губ. Вѣд. № 103.

33. 1871. *Canis lupus.* Friis (CLII). p. 34.

34. 1874. — *lupus* L. Lilljeborg (CLVIII), p. 583, 591, 593, 595.

35. 1875. — *lupus.* Collett (CLXIV). Carte zoogéogr.

36. 1876. *Волкъ.* Немировичъ-Данченко (CLXV), стр. 28, 38.

37. 1877. *Волкъ.* Немировичъ-Данченко (CLXVI), стр. 286, 301, 512.

38. 1877. *Canis lupus* L. Collett (CLXX). Nyt Mag. f. Naturv. Bd. 22, p. 95, n. 34.

39. 1877. — *lupus.* Fellman (CLXXXIII), p. 218, n. 4.

Benennungen: Russisch *Wolk* (волкъ). Im russischen Lapland (am Imandra) *Paldis*; im übrigen Lapland *Kumpi* (nach Leem, Nilsson, Melchior, Fellman); nach Letzterem ausserdem noch *Seipeg, Stakke, Stalpe,* das männl. Thier *Ravia*, das weibl. *Zikko*, das junge *Skiuuga.*

Der Wolf ist in dem von mir bereisten Theile des russischen Laplands eine sehr seltene Erscheinung, so dass auf der ganzen Strecke zwischen Kandalakscha und Kola (220 Werst) nur an einer Stelle, nämlich auf der Station Masselga, die Lapländer sich beklagten, dass drei Wölfe in der Umgegend hausten und daher ihren Renthieren Gefahr drohte. An allen anderen Punkten behaupteten die Lapländer, dass der Wolf bei ihnen nicht vorkomme. Diese sehr wenig glaubwürdig klingende Angabe erklärt sich meiner Meinung nach sehr einfach. Aus den älteren Angaben ersehen wir, dass der Wolf in Lapland häufig war, allmählich aber nach Westen sich verzogen hat und jetzt auch dort nicht häufig ist. Da die wilden Renthiere in früherer Zeit viel häufiger anzutreffen und die Lapländer reicher an zahmen Renthieren waren, so hatte der Wolf genügendes Futter; mit dem Verschwinden dieser günstigen Umstände musste auch der Wolf sich zurückziehen, und zwar gerade nach den Theilen Laplands, wo einerseits das wilde Renthier noch häufiger vorkommt, andererseits die Anzahl der zahmen bedeutender ist, also nach den Theilen, die an Finmarken grenzen, oder nach Finmarken selbst. Ferner glaube ich, dass der Wolf auf keinen Pflanzengürtel angewiesen ist und dass sein Anfenthaltsort lediglich von dem genügenden Vorhandensein von Futter abhängt.

Nach diesen Vorbemerkungen will ich versuchen, auch aus litterarischen Quellen die Richtigkeit meiner Ansicht zu beweisen.

Bei den älteren Schriftstellern, wie z. B. bei Scheffer(2), finden wir die Angabe, dass der Wolf in Lapland in grosser Menge vorkommt; doch schon im Jahre 1792 berichtete Lagus (6), dass die Wölfe, welche in Kuusamo in früheren Zeiten grossen Schaden anrichteten, in den letzten

Jahren verschwunden seien. Im Jahre 1804 gab Wahlenberg (7) die Gegend von Enare als besonders reich an
Wölfen an, und um dieselbe-Zeit hatten, nach Grape (8),
die Wölfe in Enontekis die Anzahl der Renthiere auf $\frac{1}{3}$
derjenigen gebracht, die vor 10 — 12 Jahren vorhanden
war. Bis zu den zwanziger Jahren wird immer noch vom
massenhaften Auftreten der Wölfe gesprochen; doch berichtete Sjögren (12) im Jahre 1828, dass die Zahl der
Wölfe in Enare bedeutend abgenommen habe, in Folge
des Verschwindens der Renthiere. Bis zum Jahre 1860
finden wir dann eine Reihe von Angaben, die entweder das
Vorkommen des Wolfes im westlichen Theile, wie im Syd-
Varanger oder Enare, constatiren, oder von dessen mas-
senhaftem Auftreten in ganz Lapland handeln. Die ersteren
halte ich für glaubwürdig, auch stammen dieselben meist
von tüchtigen Forschern; die letzteren hingegen sind lauter
russische Angaben, die wohl ohne genaue Kenntniss der
Verhältnisse niedergeschrieben sind. Die genauen Daten
von Ssolowzow (27) sprechen wiederum vom häufigen Vorkommen der Wölfe im westlichsten Theile des russischen Laplands, nämlich in Petschenga und an der Pasvig-Elf, während er ihrer aus keiner anderen Gegend der
Kola-Halbinsel erwähnt, obgleich er eine ausführliche
Beschreibung vieler Theile derselben lieferte. Schon im
Jahre 1865 berichtete Poschmann (28), dass in Lapland
fast gar keine Wölfe vorkommen. Die Raubthier-Statistik
des Prof. Rasch (30) für die Jahre 1861 — 1865 beweist
ebenfalls deutlich, dass der Wolf nicht häufig ist, da selbst
in Finmarken, wo die Anzahl der Renthiere noch ansehn-
lich ist, innerhalb dieser Zeit sehr wenig Wölfe, im Jahre
1863 z. B. nur fünf, erlegt worden sind. Von den russischen Angaben sind hier noch diejenigen Dergatscheff's

(31, 32) und Nemirowitsch-Dantschenko's (36, 37) zu
erwähnen. Dem ersteren haben bei seiner Compilation über
Lapland diejenigen Materialien viel mehr imponirt, in welchen die Wolfszahl als gross angegeben wird, und er sieht
sich sogar veranlasst, die Anzahl der erlegten Exemplare
auf 300 im Jahre zu bestimmen. Dem letzteren ist ebenfalls nicht recht zu trauen, da es nach seinen Angaben so
aussieht, als ob in Lapland hinter jedem Busch ein Wolf
sässe. Namentlich scheinen mir seine Angaben deshalb nicht
zuverlässig zu sein, weil er unter Anderem behauptet, dass
es bei der Station Rasnavolok am Imandra von Wölfen
wimmele, während vier Jahre später die Bewohner jener
Gegend einstimmig behaupteten, der Wolf komme dort
nicht vor. Auch nach Collett (38) ist in Finmarken die
Anzahl der Wölfe weniger gross als im übrigen Norwegen.
Doch glaubt er, dass die getödteten Exemplare schnell
durch Einwanderung aus Russland ersetzt werden, und dies
bestätigt wiederum meine Annahme, dass die Wölfe sich
allmählich nach Finmarken zurückziehen.

Wenn ich jetzt an die Zusammenstellung der einzelnen
Funde des Wolfes auf der Kola-Halbinsel gehe, so ist
dabei der Umstand nicht aus dem Auge zu lassen, dass
alle Angaben aus verschiedenen Zeiten herrühren und daher
die Grenzen seiner Verbreitung, die auf Grund solcher
Angaben gezogen sind, jetzt durchaus nicht mehr richtig sind. Wenn wir von der Murman-Küste beginnen,
so stossen wir zuerst auf die Nachricht, die Lütke (17)
im Jahre 1835 gab, laut welcher die Renthiere der Jokan-
schen Lappen von Wölfen zerrissen worden sind. Weiter
westlich berichtet Michailow (29) vom Kandalakscha-
Ufer des weissen Meeres. Er hat Wölfe bei Umba und am
jenseitigen Ufer des Kandalakscha-Busens bei Kowda

gefunden. Am Imandra erwähnt Middendorff (20) ihres
Vorkommens. Doch ist diese Angabe für die jetzige Zeit nicht
mehr zutreffend, indem sich die Wölfe sehr vereinzelt noch
bei Masselga und bei Kola erhalten haben. Der Grund davon liegt wiederum darin, dass in diesem Theile des russischen Laplands nur bei Masselga die Anzahl der zahmen
Renthiere bedeutend ist. Nach Kola werden im Winter einzelne Exemplare aus der Umgegend gebracht, doch ist der
Wolf daselbst nicht häufig. Aus diesen Gegenden haben wir
ferner Nachrichten von Nemirowitsch-Dantschenko, der
den Wolf bei Rasnavolok, bei der Station Kitzä und an
der Tuloma gefunden haben will. Ich habe oben schon gesagt, wie wenig glaubwürdig mir namentlich die Angabe hinsichtlich der Umgegend von Rasnavolok vorkommt. In
Bezug auf die anderen Gegenden kann ich kein so entschie-
denes Urtheil fällen, glaube aber die betreffenden Angaben
doch mit einiger Vorsicht aufnehmen zu müssen. Jedenfalls
wird auch an der Tuloma die Anzahl der Wölfe nicht gross
sein. Bedeutend wird dieselbe an der russischen Grenze, an
den Flüssen Petschenga und Pasvig, indem Ssolowzow
(27) berichtet, dass bei Petschenga die Wölfe ein Rudel
von 2 — 3000 Renthieren geraubt haben. In Utsjoki und
namentlich in Enare und Enontekis ist der Wolf früher
besonders zahlreich gewesen, wie es Wahlenberg (7),
Grape (8), Sjögren (12), Fellman (39) und Malm (23)
bestätigen. Im Syd-Varanger-Distrikt haben ihn Fellman (19) und Friis (33) nachgewiesen. Aus Finmarken
besitzen wir die statistischen Daten von Prof. Rasch (30);
diesen zufolge sind in den einzelnen Jahren für die folgende
Anzahl erlegter Wölfe Prämien ausgezahlt worden: im Jahre
1861 für 25 Thiere, 1862 für 28, 1863 für 5, 1864 für 55,
1865 für 31. Aus den westlichen Theilen Laplands haben

wir Nachrichten durch Schubert (11), Wright (14) und Laestadius (15) aus Karesuando; durch Bedemar (10) wird seine Häufigkeit bei Pello in Torneå-Lapmark bestätigt; ferner liegen uns die alten Angaben von Tornaeus (1) aus Torneå- und Kemi-Lapmark vor, und endlich diejenigen von Lagus (6) aus Kuusamo und von Fellman (39).

Man darf also annehmen, dass der Wolf früher in ganz Lapland verbreitet gewesen ist, gegenwärtig aber in Folge der Abnahme der Renthierzahl sich nach den Gegenden zurückgezogen hat, wo diese letzteren Thiere noch in bedeutender Anzahl vorhanden sind. Als bestes Mittel, den Wolf loszuwerden, hat sich die Verminderung seines Futters erwiesen. In Folge derselben haben die Einwohner gegenwärtig, zum wenigsten im russischen Lapland, mit den einzeln auftretenden Wölfen leichtes Spiel, und zwar indem sie gegen dieselben mit Erfolg Giftpillen anwenden, die ihnen die Obrigkeit zu diesem Zwecke liefert.

Das Fell des lapländischen Wolfes, welches in der Regel etwas hell sein soll, wird wenig geschätzt und nicht höher als mit 2 Rubeln bezahlt. Es kommt jedoch nicht häufig mehr in den Handel, so dass ich zwar von allen anderen grösseren Säugethieren Laplands Balgstücke mitbringen konnte, den Wolf aber unter dem Pelzwerk in Kola nicht vorfand.

21. Canis Vulpes L.

1. 1672. *Röd-räf.* Tornaeus (VII), Bd. IX, p. 43.
2. 1673. *Vulpecula.* Scheffer (VIII), p. 340.
3. 1675. *Fuchs.* Martinière (X), p. 58.
4. 1707. *Fuchs.* Örn (XII), p. 60.
5. 1767. *Vulpes.* Leem (XX), p. 193.
6. 1772. *Canis Vulpes.* Lagus (XXII). Sv. Vet. Ak. Handl.-Bd. XXXIII, p. 354.
7. { 1800. *Canis Lycaon.* } Georgi (XXXI), { p. 1511, n. 6.
   { 1800. — *Vulpes.* }   { p. 1510, n. 5.

8. 1804: *Canis Vulpes.* Grape (XXXII). Kgl. Vet. Ak. Nya Handl. Bd. XXV, p. 91.

9. 1804. *Renard.* Acerbi (XXXIII), T. III, p. 121.

10. 1811. *Canis Vulpes.* Pallas (XXXVII), p. 47.

11. 1823. — *Lycaon.* Thunberg, resp. Tigerhjelm (XLII), p. 6.

12. 1824. — *Melaleucus.* Thunberg, resp. Stjernsten (XLIII), p. 8.

13. 1828. *Gewöhnlicher Fuchs.* Sjögren (XLV), p. 14, 43 u. 44.

14. 1829. *Common Fox.* Everest (XLVI), p. 173.

15. 1830. *Лисица.* Рейнеке (XLVIII), стр. 30.

16. 1832. *Canis Vulpes.* Wright (LXV). Tidskr. f. Jäg. och Naturf. Bd. I, p. 293, 298.

17. 1834. *Räf.* Laestadius (LXXVI). Ibidem, T. III, p. 913.

18. 1834. *Räf.* Bovin (LXXVII). Ibidem, T. III, p. 913.

19. 1834. *Räf.* Burman, Fale (LXXVIII). Ibidem, T. III, p. 915.

20. 1834. *Canis Vulpes* L. Melchior (LXIX), p. 21.

21. 1835. *Лисица.* Делеръ (LXXXVII). Лѣсной Журналъ, T. IV, кн. 2, стр. 307.

22. 1843. *Лисица.* Рейнеке (CI), стр. 49.

23. 1844. *Räf.* Fellman (CII), p. 95, 142.

24. 1847. *Canis Vulpes* L. Nilsson (CIX), p. 253.

25. 1849. *Лисица.* Верещагинъ (CXII), стр. 39.

26. 1851. *Räf.* Malm (CXVII), p. 80, 81.

27. 1852. *Лисица.* Взгл. на пром. Арх. Губ. (CXIX). Сынъ Отечества, T. VI, стр. 16.

28. 1856. *Лисица.* Поромовъ (CXXVI). Арх. Губ. Вѣд. стр. 356, 381.

29. 1860. *Fuchs.* Ziegler (CLXXXVI), p. 112.

30. 1861—62. *Лисица.* Соловцовъ (CXXXI). Арх. Губ. Вѣд. стр. 252, 292, 327, 340, 379 (1861 г.), стр. 76 (1862 г.).

31. 1865. *Лисица.* Пошманъ (CXL). Арх. Губ. Вѣд. Прилож. стр. 183.

32. 1868. *Лисица.* Терентьевъ (CXLV). Арх. Губ. Вѣд. № 50.

33. 1868. *Canis Vulpes.* Михайловъ (CXLVII), стр. 130, 186.

34. 1869. *Лисица.* Дергачевъ (CXLIX). Арх. Губ. Вѣд. № 87.

35. 1869. *Лисица.* Дергачевъ (CL). Арх. Губ. Вѣд. № 103.

36. 1874. *Vulpes vulgaris* Gray. Lilljeborg (CLVIII), p. 604, 606.

37. 1875. *Лисица.* Охота на Кольск. полуостр. (CLXI). Арх. Губ. Вѣд. № 24.

38. 1875. *Vulpes vulgaris* Gray. Collett (CLXIV), Cárte zoogéographique.

39. 1876. *Лисица.* Немировичъ-Данченко (CLXV), стр. 38, 51.

40. 1877. *Лисица.* Немировичъ-Данченко (CLXVI), стр. 40, 288, 341.

41. 1877. *Лисица.* (CLXIX). Журналъ Охоты, № 5, T. VI, стр. 67.

42. 1877. *Vulpes vulgaris* Gray. Collett (CLXX). Nyt Mag f. Naturv. Bd. 22, p. 102, n. 35.

43. 1877. *Canis Lycaon* (Gmelin). .... p. 220, n. 5.
   1877. — *Vulpes.* } Fellman (CLXXXIII), p. 221, n. 6.
   1877. — *nigro-argenteus.* .... p. 228, n. 8.

Benennungen: Von der russischen Bevölkerung wird der gewöhnliche Fuchs *Lissitza* (лисица) oder *Lissà* (лиса) genannt; doch führen die verschiedenen Farbenvarietäten auch verschiedene Namen, die schon durch Pallas zur Genüge bekannt sind. Was die lapländischen Namen anbetrifft, so ist am Imandra der Name *Remij* oder nach Fellman *Riemi* gebräuchlich. Für den übrigen Theil von Lapland sind nach Fellman die Namen *Rieban* oder *Repe*, nach Nilsson *Rupsok* und *Raupe* zu verzeichnen. Die verschiedenen Farbenvarietäten haben auch in der lapländischen Sprache ihre besonderen Bezeichnungen. So heisst der rothe Fuchs nach Fellman und Leem *Ruopšak*, das Männchen *Ravia*, das Weibchen *Tsikko*, das junge Thier *Vielpies* oder *Velpes*, *Skiuwga* oder *Rieban skiuwga*. Die Var. *crucigera* heisst nach Leem *Raude*, nach Fellman *Risti rieban*. Den Namen *Ravde* legt Fellman der Var. *alopex* bei. Der weisse, nur an den Ohren schwarze Fuchs heisst nach Leem *Vjelgok*. Der schwarze Fuchs (*C. nigro-argenteus* Nilss.) endlich heisst nach Leem *Zhjaeppok*, nach Fellman *Zhorre-Zappok*, schlechtweg *Zappok* oder *Ranag*.

Anmerkung. Pallas (10) behauptet, dass Leem (5) den Eisfuchs mit dem gewöhnlichen Fuchse verwechselt. Diese Meinung kann ich nicht theilen, denn Leem hebt das Kennzeichen seines weissen Fuchses sehr deutlich hervor, nämlich die schwarzen Ohrenspitzen, die dem Eisfuchs immer fehlen. Auch erwähnt er, bei der Beschreibung des Eisfuchses, dass die Thiere dieser Art viel kleiner sind als die weissen Füchse.

Der Fuchs kommt in Lapland, trotz eifriger Nachstellungen, in ansehnlicher Menge vor und bewohnt alle Theile

des Landes. Ich glaube aber mit Bestimmtheit, dass er
auf der Tundra seine Baue nicht mehr anlegt und dass
dieselben nur in der Wald- und Buschregion zu finden
sind. Dennoch besucht der Fuchs auch die Tundra, namentlich während der Lemmingswanderungen.

Auf der Kola-Halbinsel haben die verschiedenen Forscher den Fuchs in den verschiedensten Theilen- des Landes
gefunden. Wenn wir die Uebersicht dieser Angaben von
Osten her beginnen, so haben wir zuerst durch Ssolowzow (30) Nachricht von dem Vorkommen des Fuchses bei
Ponoj. Am Lowosero (in nordöstlicher Richtung vom
Imandra) haben Nemirowitsch-Dantschenko (39) und
Dergatscheff (34) den Fuchs in Menge getroffen. Am
Imandra ist derselbe ebenfalls nicht selten, da einersnits Ssolowzow (30) und Nemirowitsch-Dantschenko (39) seiner aus der dortigen Gegend erwähnen, und andererseits ich
selbst ihn an mehreren Punkten in der Umgegend dieses Sees
gefunden habe. Zu je einem Fuchsbau war in der Umgegend
der Stationen Saschejek und Rasnavolok ausgehoben worden, und auch auf den Vorbergen der Umpdück-Tundra
fand ich Fuchsspuren. Zwischen Kola und Kandalakscha hat
auch Michailow (33) einen Kreuzfuchs erlegt. Bei Kola ist
der Fuchs ebenfalls nicht selten, wie es ausser meinen Erkundigungen die Angaben von Nemirowitsch-Dantschenko
(40) und Ssolowzow (30) bestätigen. Letzterer erzählt, dass
der Fuchs sich im Winter über das Eis auf die Toross-Inseln begiebt, die dem Kola-Busen gegenüberliegen. Aus dem
russischen Lapland haben wir ferner noch Angaben von
der Tuloma [Nemirowitsch-Dantschenko (40)], von
Kamennyj Pogost [Ssolowzow (30)], vom Noto-See
[Terentjeff (32)], von Petschenga [Ssolowzow (30)].
Ueber das Vorkommen des Fuchses in Enare, Utsjoki und

Sodankylä berichtet Fellman (43); vom ersteren Orte erwähnen seiner ausserdem Malm (20) und Sjögren (13), und aus Enontekis nennt ihn Grape (8). Im Syd-Varanger kommt er nach Fellman (23) und Collett (42) häufig vor. Als Bewohner von Torneå- und Kemi-Lapmark wird der Fuchs oftmals erwähnt; so z. B. von Tornaeus (1) und Sjögren (13); Laestadius (17) und Wright (16) führen ihn aus Karesuando, Everest (14) aus Kengis, Burman (19) aus Haparanda und Karungi, Borin (18) aus Öfver-Calix und Lagus (6) aus Kuusamo an. Was die Anzahl der jährlich in unserem Gebiete erbeuteten Füchse anbetrifft, so haben wir nur zwei sichere Angaben: nach Döhler [Делеръ (21)] sind im Jahre 1834 im Kreise Kola 1996 Füchse erlegt worden, und nach dem Lensman Klerk [Collett (42)] werden in günstigen Jahren im Syd-Varanger allein 150 — 200 Füchse erbeutet.

Sehr gebräuchlich, namentlich bei den Lapländern, ist das Ausnehmen der Fuchsbaue; doch sind die Felle der ausgenommenen Füchse in der Regel viel schlechter als die Bälge derjenigen, die erlegt worden sind, und übersteigen daher nie den Preis von einem Rubel. Für Kola ist noch einer besonderen Jagdart zu erwähnen. Es wird im Winter auf dem Abhange der Ssolowaraka eine hölzerne Hütte gebaut, die sich zum grössten Theil unter der Erde befindet und nur wenig hervorragt. Vor dieser Hütte werden Hunde geschlachtet, und wenn die Füchse sich gewöhnt haben diesen Futterplatz zu besuchen, so werden sie mit der Büchse aus dem Verstecke erlegt.

Der Preis eines gewöhnlichen rothen Fuchsfelles beläuft sich in Kola auf ungefähr 3 — 4 Rubel. Die Preise der schwarzen Füchse, die auch dort ziemlich selten sind, sind verschieden, je nach der Quelle. Aus erster Hand,

von den Lapländern, kosten sie nicht mehr als 15 Rubel,
während sie in Kola schon für den doppelten Preis Ab-
nehmer finden. In Finmarken sind sie noch theurer.

22. Canis lagopus L.

1. 1672. $\begin{cases} Blå\text{-}Räf. \\ Hvit\text{-}Räf. \end{cases}$ Tornaeus (VII), Bd. IX, p. 43.

2. 1673. *Vulpecula.* Scheffer (VIII), p. 340.

3. 1675. *Weisser Fuchs.* Martinière (X), p. 62.

4. 1707. $\begin{cases} Himmelblauer\ Fuchs. \\ Weisser\ Fuchs. \end{cases}$ Örn (XII), p. 60.

5. 1767. *Vulpecula* (*Canis lagopus* L.). Leem und Gunner (XX), p. 194 (47).

6. 1800. *Canis lagopus.* Georgi (XXXI), p. 1516, n. 10.

7. 1804. — *lagopus.* Grape (XXXII). Kgl. Vet. Ak. Nya Handl. Bd. XXV, p. 91.

8. 1804. — *lagopus.* Acerbi (XXXIII), T. III, p. 132.

9. 1824. — *lagopus.* Thunberg, resp. Stjernsten (XLIII), p. 7.

10. 1828. — *lagopus.* Sjögren (XLV), p. 14, 43 u. 44.

11. 1830. *Песецъ.* Рейнеке (XLVIII), стр. 30.

12. 1832. *Fjällracka.* Wright (LXV). Tidskr. f. Jäg. och Naturf. Bd. I, p. 298.

13. 1834. *Canis lagopus* L. Melchior (LXIX), p. 25.

14. 1838. *Eisfuchs.* Baer (LXXXIX). Bull. sc. T. III, p. 142.

15. 1842. *Canis lagopus.* Baer (XCVIII). Bull. sc. T. IX, p. 91.

16. 1843. *Песецъ.* Рейнеке (CI), стр. 49.

17. 1844. *Fjell-Racka.* Fellman (CII), p. 95.

18. 1847. *Canis lagopus* L. Nilsson (CIX), p. 264.

19. 1849. *Песецъ.* Верещагинъ (CXII), стр. 84.

20. 1850. *Песецъ.* Рейнеке (CXV), стр. 60.

21. 1851. *Polar-Fuchs.* Schmidt (CLXXXV), p. 59.

22. 1851. *Fjellracka.* Malm (CXVII), p. 81.

23. 1852. *Canis lagopus.* Ehrström (CXX). Not. ur Sällsk. pr. Fl. et Fauna fenn. Förh. p. 1.

24. 1856. *Песецъ.* Поромовъ (CXXVI). Арх. Губ. Вѣд. стр. 381.

25. 1861. *Песецъ.* Соловцовъ (CXXXI). Арх. Губ. Вѣд. стр. 292, 379.

26. 1868. *Canis lagopus.* Михайловъ (CXLVII), стр. 245.

27. 1869. *Песецъ.* Дерачевъ (CXLIX). Арх. Губ. Вѣд. № 87.

28. 1869. *Песецъ.* Дерачевъ (CL). Арх. Губ. Вѣд. № 103.

29. 1869. *Vulpes lagopus.* Bowden (CXLVIII), p. 46.

30. 1874. — *lagopus* L. Lilljeborg (CLVIII), p. 611, 614.

31. 1875. — *lagopus* L. Collett (CLXIV), Carte zoogéogr.

32. 1877. *Vulpes lagopus* L. Collett (CLXX). Nyt Mag. f. Naturv. Bd. 22, p. 103, n. 36.

33. 1877. *Canis lagopus*. Fellman (CLXXXIII), p. 225, n. 7.

Benennungen: In der russischen Sprache wird der Eisfuchs *Pessetz* (песецъ), und zwar der weisse *bjelyj P.* (бѣлый п.) und der blaue *goluboj P.* (голубой п.) genannt; der Plural davon heisst *Pesstzy* (песцы). Diese Benennungen stimmen aber nicht ganz mit denen in Lapland überein, da dort der Plural *Pssetzy* (псецы, von den Lapländern sogar *Ssetzy* [сецы] ausgesprochen) gebildet wird. Das junge Thier wird *Krestowatik* (крестоватикъ) genannt. In der lapländischen Sprache heisst der Eisfuchs überall *Njal* (nach meinen Erkundigungen am Imandra und nach Nilsson, Leem, Georgi, Fellman); Fellman (33) führt ausserdem noch die Namen *Sval, Svala* und für das junge Thier *Njala shuvga* an. Der weisse Eisfuchs heisst lapländisch *Velges njala*; der blaue *Zoppes njala*, derjenige von schmutziggrauer Farbe *Shelta njala*.

Der Eisfuchs ist auf der Kola-Halbinsel ein ständiger Bewohner der Tundra, d. h. der alpinen Zone. In dieser Region kommt er gewöhnlich unterhalb der Grenze des ewigen Schnees vor und ist namentlich ein Bewohner des Weidengebüsches. Nach diesem Aufenthaltsorte ist auch sein Verbreitungsgebiet auf der Kola-Halbinsel sehr leicht zu bestimmen. Einerseits kommt er, von Ponoj, der Ostspitze der Kola-Halbinsel, angefangen, längs der ganzen Murmanschen Küste vor, und andererseits tritt er im Innern des Landes als ständiger Bewohner nur auf den Gebirgen auf, die bis in die Alpenregion hineinragen. In die flachen Gegenden kommt der Eisfuchs nur während der Lemmingswanderungen, welchen er sehr eifrig folgt, verläuft sich aber hierbei zuweilen sehr weit. In den östlichsten Theilen unseres Gebietes haben den Eisfuchs Baer (14, 15) und Ssolowzow(25) nachgewiesen. Ersterer hat Baue desselben bei Tri-Ostrowa gefunden; Letzterer berichtete davon, dass die Bewohner von Ponoj sich mit dem Fange von Eisfüchsen beschäftigen. Am Swätoj-noss hat Michailow (26) einen Eisfuchs beobachtet; doch giebt er fälschlich an, dass an der Murmanschen und Terskischen Küste die blaue Varietät des Eisfuchses nicht vorkomme. Auch die Bewohner von Kamennyj Pogost treiben, nach Ssolowzow (25), Handel mit Eisfuchsfellen. In der Gegend von Kola kommt der Eisfuchs wohl nur im Winter, oder während der Lemmingswanderungen vor; jedoch ist er wenig nördlich von der Stadt, bei dem Kildinschen Pogost so wie auf der Insel Kildin, nicht selten. Am Imandra soll der Eisfuchs auf den Tundragebieten aller grösseren Gebirge vorkommen, welche den See einschliessen. Nach Fellman (33) und Sjögren (10), soll er in Utsjoki und Euare und nach Grape (7) in Enontekis vorkommen und zeitweilig häufig sein. In Torneå- und Kemi-Lapmark endlich ist er zur Zeit der Wanderungen oder auf den einzelnen Bergspitzen anzutreffen, besonders häufig, nach Wright (12), in Karesuando. Während der Wanderung des Jahres 1839 hat Ehrström (23) ihn daselbst gefunden.

Der weisse Eisfuchs wird im Handel wenig geschätzt und schwankt im Preise zwischen 80 Kop. und 1 Rubel; der blaue hingegen ist nicht unter 4 Rubeln zu erhalten, und dieser Preis steigt mit zunehmender Güte des Balges.

Die vier von mir mitgebrachten Eisfuchsbälge stammen von den Kildin'schen Lapländern in der Nähe von Kola.

Genus 3. URSUS L.

23. Ursus marinus Pall.

1. 1675. *Weisser Bär.* Martinière (X), p. 46, 48, 75.
2. 1834. *Ursus maritimus.* Melchior (LXIX), p. 51.
3. 1851. *Eisbär.* Schmidt (CLXXXV), p. 59.
4. 1862. *Hvidbjörn.* Nordvi (CXXXIII). Öfv. af Kgl. Vet. Ak. Förh. XIX, p. 305.
5. 1874. *Ursus maritimus* L. Lilljeborg (CLVIII), p. 643.
6. 1875. *Ошкуй.* Немировичъ-Данченко (CLXIII), стр. 114.
7. 1875. *Ursus maritimus* L. Collett (CLXIV), Carte zoogéogr.
8. 1876. *Ошкуй.* Немировичъ-Данченко (CLXV), стр. 136.
9. 1877. *Ursus maritimus* L. Collett (CLXX). Nyt Mag f. Naturv. Bd. 22, p. 104, n. 37.

Benennungen: Russisch wird der Eisbär *Oschkuj* (ошкуй) genannt. Lapländische Namen sind mir nicht bekannt.

Der Eisbär ist kein ständiger Bewohner der Kola-Halbinsel, wird aber zuweilen durch Treibeis an die nördliche Küste derselben angeschwemmt. Die häufigsten Funde in unserem Gebiete gehören dem nördlichen Norwegen an, da dort ein solches Ereigniss, wie das Erscheinen eines Eisbären, schwer übersehen werden kann. Aus dem eigentlichen russischen Lapland berichtet nur Nemirowitsch-Dantschenko (6, 8) über das Vorkommen von Eisbären an der Murmanschen Küste und giebt in einer seiner Arbeiten (6) sogar einen genauen Fundort, nämlich die Bucht Ura an, welche bei der Hafenstelle Jeretiki, zwischen dem Kola-Busen und der Fischerhalbinsel liegt. Doch sagt er in einer anderen Arbeit selbst, dass er für die Richtigkeit seiner Angaben nicht bürgen kann. Daher muss man wohl annehmen, dass dieselben, zum Zwecke einer anschaulicheren Darstellung des Lebens im hohen Norden, nicht auf Thatsachen, sondern auf Möglichkeiten beruhen, die wir natürlich nicht berücksichtigen können. Schmidt (3) behauptet, dass der Eisbär die Skandinavische Halbinsel nie berühre; doch da er derselben Ansicht auch hinsichtlich des Eisfuchses ist, so sind seine Angaben ebenfalls nicht zu brauchen. Hier muss auch eine Angabe Martinière's (1) erwähnt werden. Derselbe berichtet nämlich, dass er am Varanger-Fjorde zwei weissen Bären begegnet sei, und erzählt dann weiter, dass es dort Landessitte sei, auf den Fellen weisser Bären zu schlafen. Sollte eine solche Sitte bestanden haben, so müsste angenommen werden, dass um das Ende des XVII. Jahrhunderts die Eisbären auf dem Festlande häufiger vorkamen als jetzt und in sehr grosser Anzahl erbeutet wurden. Da jedoch kein anderer Schriftsteller, sei es aus derselben, sei es aus einer nahe gelegenen Zeit, etwas dem Aehnliches berichtet, so kann man, glaube ich, die ganze Erzählung auf Rechnung einer allzuregen Einbildungskraft schreiben.

Im Jahre 1851 ist, laut Malmgren, welcher die Nachricht durch Friis erhalten hat, ein Eisbär im Kjölle-Fjord in Ost-Finmarken erlegt worden (5). Im November 1852 wurde bei Mortensnäs im Varanger-Fjorde ein schwimmender Eisbär gesehen, nachdem man dessen Spur schon früher im Herbst im Syd-Varanger bemerkt hatte. Im April des nächstfolgenden Jahres ist ein Eisbär, vielleicht derselbe, am Kjölle-Fjord, zwölf geographische Meilen vom Varanger-Fjorde entfernt, von einem Fischer gesehen worden. Dieses Thier wurde geschossen und die Prämie in Lebesby ausgezahlt. Collett (9) glaubt, dass dieses Exemplar das nämliche ist, dessen Nordvi (4) erwähnt. Im Märzmonat desselben Jahres wurde, nach Cand. A. Boeck, ein Eisbär im Porsanger-Fjorde getödtet. Ferner ist, laut № 200 der «Schwedischen Zeitung», im Jahre 1855 ein Eisbär bei Skudesnäs in Norwegen erlegt worden (5). Der letzte Eisbär endlich ist nach Collett (9) im Jahre 1867 im Laxe-Fjord bei Lebesby erlegt worden, doch konnte Collett auf seiner Reise durch Finmarken im Jahre 1874 keine genaueren Daten darüber erhalten.

24. Ursus arctos L.

1. 1672. *Björn.* Tornaeus (VII), Bd. IX, p. 43.
2. 1673. *Ursus.* Scheffer (VIII), p. 336.
3. 1707. *Bähr.* Örn (XII), p. 57.
4. 1748. *Bär.* Scheller (XVII), p. 50.
5. 1767. *Ursus.* Leem (XX), p. 187.
6. 1772. *Ursus arctos.* Lagus (XXII). Kgl. Vet. Ak. Handl. Bd. XXXIII, p. 353.
7. 1804. — *arctos.* Grape (XXXII). Kgl. Vet. Ak. Nya Handl. Bd. XXV, p. 91.
8. 1804. *Björn.* Wahlenberg (XXXIV), p. 49.
9. 1804. *Ursus arctos.* Acerbi (XXXIII), T. III, p. 118, 132.
10. 1823. *Bär.* Schubert (XLI), p. 374, 395, 398.
11. 1828. *Bär.* Sjögren (XLV), p. 14, 43 u. 44.
12. 1832. *Björn.* Laestadius (L). Tidskr. f. Jäg. och Naturf. Bd. I, p. 24.
13. 1832. *Ursus arctos* L. (LVI). Ibidem, T. I, p. 168, 173.
14. 1845. — *arctos.* Middendorff (CV). Beitr. z. Kenntn. d. Russ. Reichs, Bd. XI, p. 170.
15. 1847. — *arctos* L. Nilsson (CIX), p. 196.
16. 1849. *Медвѣдь.* Верещагинъ (CXII), стр. 39.
17. 1851. *Björn.* Malm (CXVII), p. 73.
18. 1852. *Медвѣдь.* Взгл. на пром. Арх. Губ. (CXIX). Сынъ Отеч. VI. Смѣсь, стр. 10.
19. 1856. *Медвѣдь.* Поромовъ (CXXVI). Арх. Губ. Вѣд. стр. 356.
20. 1860. *Bär.* Ziegler (CLXXXVI), p. 112.
21. 1862. *Медвѣдь.* Прушакевичъ (CXXXII). Арх. Губ. Вѣд. стр. 179.
22. 1865. *Медвѣдь.* Пошманъ (CXL). Арх. Губ. Вѣд. стр. 183.
23. 1868. *Björn.* Rasch (CXLVI). Förh. i Vid. Selsk. i Christ. p. 12.
24. 1868. *Медвѣдь.* Михайловъ (CXLVII), стр. 186, 278.
25. 1869. *Медвѣдь.* Дергачевъ (CXLIX). Арх. Губ. Вѣд. № 87.
26. 1869. *Медвѣдь.* Дергачевъ (CL). Арх. Губ. Вѣд. № 103.
27. 1874. *Ursus arctos* L. Lilljeborg (CLVIII), p. 630, 631.
28. 1874. — *arctos.* Aubel (CLIX), p. 60, 90, 109, 124.

29. 1875. *Ursus arctos* L. Collett (CLXIV), Carte zoogéogr.
30. 1876. *Медвѣдь*. Немировичъ-Данченко (CLXV), стр. 31, 38, 39. '
31. 1877. *Медвѣдь*. Немировичъ-Данченко (CLXVI), стр. 275.
32. 1877. *Ursus arctos* L. Collett (CLXX). Nyt Mag. f. Naturv. Bd. 22, p.
         105, n. 38.
33. 1877. — *arctos*. Fellman (CLXXXIII), p. 237, n. 17.

Benennungen: Russisch *Medwedj* (медвѣдь). Bei den Lapländern am Imandra *Pobontsch*, das Männchen *Ores pobontsch*, das Weibchen *Nenjus*, das junge Thier *Piern*, das einjährige Thier, welches die Dienste der Kinderwärterin verrichtet, *Wuswodi* (russ. *Pesstun*, пестунъ). Nach Fellman (33) wird der Bär am Imandra auch *Kumtscha* genannt. Im übrigen Lapland heisst er nach Leem (53) und Nilsson (15) *Guonzhia*, nach Fellman (33) *Gwontska*, *Puoldakatsch*, *Bire*, *Gwopesha*, *Ruomse kalles* und *Vaari aija*. Das Männchen heisst (nach allen Berichterstattern) *Änak*, das Weibchen *Äste*, das junge Thier (nach Fellman) *Pierdnie*, *Perdne* oder *Gwontsha pierdnie*, das einjährige Thier *Wuostes vaddie* oder *Adde*.

Beim Abhandeln der Polargrenze des gewöhnlichen Landbären ist der Umstand nicht aus dem Auge zu lassen, dass dieselbe durch zwei verschiedene Linien bezeichnet werden müsste. Die eine würde die äussersten Punkte angeben, bis zu welchen der Bär vordringt oder früher vorgedrungen ist, während die andere das Gebiet begrenzen würde, in welchem der Bär überwintert, d. h. sich zum Winterschlaf niederlegt. Wenn wir die letztere Grenze als seine eigentliche Polargrenze ansehen, so müssen wir annehmen, dass der Bär ein Bewohner des Nadelwaldes ist, da er sich in der Regel nur in demselben zum Winter häuslich niederlässt. Die erstere

Grenze hingegen verläuft schon im Anfange der Tundra-
zone, übersteigt die *Regio subalpina* und schlängelt sich
wohl an der Grenze des krüppeligen Baumwuchses hin.
Diesen Betrachtungen zufolge müsste der Bär fast auf der
ganzen Kola-Halbinsel zu finden sein und im Gebiete
des Nadelwaldes (in der Regel) überwintern. Dies stimmt
auch mit den Angaben der einzelnen Forscher und Reisenden sehr gut überein, nur fehlt es an Nachrichten
aus denjenigen Theilen der Halbinsel, die von der Tundra eingenommen sind, nämlich von der Murmanschen Küste und den Theilen der Terskischen, welche
keinen ordentlichen Waldwuchs aufzuweisen haben. Die
einzige Angabe von Michailow (24) über das Vorkommen des Bären an der Murmanschen Küste bestätigt
sich durch keinerlei weitere Nachrichten. Für das Terskische Ufer des Weissen Meeres führt ihn derselbe Michailow an, doch muss der Bär auch dort selten sein.
In Umba, am Kandalakscha-Ufer, kommt er hingegen
nach Aubel (28) und Pruschakewitsch (21) vor; Letzterer berichtet von einem Kampfe mit einem Bären unweit des Dorfes Womosretzkaja. Besonders häufig ist
aber der Bär in der Gegend von Kandalakscha und
am Südufer des Imandra. Wenige Tage vor meiner Ankunft auf der Station Saschejek hatte ein Bär ein Renthier zerrissen; die zahlreichen aufgewühlten Ameisenhau-
fen bewiesen ebenfalls deutlich sein Vorhandensein in der
Nähe. Auch trieb N. W. Kudrjafzeff, der Geolog unserer
Expedition, einen Bären an der oberen Grenze des Baumwuchses auf der Ssyraja Tundra, wenige Werst von
Saschejek, auf. An der Tinda-Taibola, zwischen dem
Imandra und Kandalakscha, beobachtete Aubel einen
Bären. In der Nähe des Imandra-Sees fand ich noch

Bärenspuren auf den Vorbergen der Umpdück-Tundra, die deutlich bewiesen, dass der Bär sich auch auf die offene Tundra hinauswagt, namentlich an solchen Stellen, wo Wald in der Nähe ist. In den Chibinschen Bergen hat Nemirowitsch-Dantschenko (30) einen Bären beobachtet. Nördlich vom See ist derselbe von Aubel (28) und Nemirowitsch-Dantschenko (30) zwischen dem Imandra und Pelmes-osero, zwischen dem Kolosero und Pulosero und am Murdosero gefunden worden. Um Kola herum ist der Bär ebenfalls zuweilen anzutreffen, und am jenseitigen Ufer der Tuloma soll ein Bär schon seit einigen Jahren hausen. Nach Middendorff (14) begiebt er sich dort fast bis an's Eismeer (an der Tjuwa). In südwestlicher Richtung von Kola ist der Bär an der Tuloma und am Notosero von Nemirowitsch-Dantschenko (31) nachgewiesen worden, und ich habe Exemplare aus der Gegend von Ssongelskij Pogost erhalten. In Enare ist der Bär, nach Fellman (33), Malm (17), Sjögren (11), Schubert (10) und Wahlenberg (8), nicht selten, nach den Beobachtungen des Letzteren namentlich am Muddosjaure und Padarjaure. Nach Fellman (33) soll er bis zum südlichen Utsjoki und nach Grape (7) in den südlichen, bewaldeten Theilen von Enontekis vorkommen; doch beweisen die Arbeiten von Collett (29, 32), dass er bis zum Varanger-Fjorde zu finden ist. In der Raubthier-Statistik des Prof. Rasch (23) ist die Anzahl der in Finmarken erlegten Bären folgendermaassen angegeben: 1861—3 Stück, 1862—15, 1863 — 7, 1864 — 15, 1865 — 5. Dabei ist es aber sehr möglich, dass der grössere Theil dieser Bären in Westfinmarken erlegt worden ist, welches von Ostfinmarken in den Tabellen nicht getrennt wird. In Karesuando kommt der Bär, nach Schubert (10) und Laestadius (12), wohl vor, doch behauptet Letzterer mit Bestimmtheit, dass er dort nicht überwintert, sondern nur zufällig erscheint. In den etwas südlicher gelegenen Gegenden, wie' Muonioniska, die aber schon in der Region der Nadelwälder liegen, überwintert er bereits (13). Dasselbe gilt natürlich von allen noch südlicher gelegenen Gegenden, wie Kengis (13), Gyljens, Masugn und Öfver-Calix (13), so wie auch von Kemi-Lapmarken (Sjögren [11]) und Kuusamo (Lagus [6]).

Der Bär soll im russischen Lapland (namentlich am Imandra), nach Aussage der dortigen Bewohner, selten eine besondere Grösse erreichen und auch meist von einer helleren, schmutzigen Farbe sein. Doch kommen zuweilen auch sehr dunkle Bären vor, die Michailow (24) für eine besondere Art hält; ihm zufolge sollen diese namentlich am Terskischen Ufer und an der Murman-Küste zu Hause sein. Oben habe ich jedoch schon bemerkt, dass der letztere Fundort wohl kaum richtig sein kann.

Der lappländische Bär richtet verhältnissmässig wenig Schaden an, da er die Renthierheerden im Grunde wenig behelligen kann. Schädlicher wird er dadurch, dass er die vergrabenen Vorräthe der Lappländer zuweilen hervorholt und verzehrt. Auch sollen die Bären sich regelmässig an denjenigen Stellen der Meeresküste des Kandalakscha-Busens einfinden, wo der Häringsfang betrieben wird. Zuweilen werden nämlich so viel Häringe gefangen, dass es den Einwohnern an der nöthigen Zahl von Fässchen gebricht, um den ganzen Fang einzusalzen, weshalb ein Theil desselben auf dem Strande liegen bleibt. Dieser Theil nun gehört den Bären, die sich sehr bald dort einfinden. Doch begnügen sie sich oft nicht damit, sondern machen sich auch an .die noch nicht weggebrachten Fässchen, welche sie angeblich sehr geschickt zu öffnen wissen.

Der Bär wird in Lapland nur mit dem Gewehre erlegt. Das.Fell wird, wenn es gut ist, mit 20 Rubeln bezahlt, doch ist es in der Regel nicht mehr als 8—10 Rubel werth. Das Fleisch wird den Finnen verkauft.

Meles Taxus Schreb.

1., 1772. *Ursus Meles.* Lagus (XXII). Kgl. Vet. Ak. Handl. Bd. XXXIII, p. 355.
2. 1772. — *Meles.* Fellman (CLXXXIII), p. 246, n. 19.

Nach Lagus (1) sollte der Dachs ein wenn auch nicht ständiger Bewohner von Kuusamo sein; doch schon Fellman (2) berichtete, dass er weder in Kuusamo, noch überhaupt in den finnischen Lapmarken den Einwohnern bekannt ist. Wenn demnach die Angabe von Lagus nicht auf einem Irrthume beruht, so muss man annehmen, dass vielleicht einmal ein Dachs nach Kuusamo sich verlaufen und Lagus Kunde davon erhalten hat. - Jedenfalls bedarf diese Angabe noch sehr der Bestätigung.

Genus 4. GULO Storr.

25. Gulo borealis Retz.

1. 1672. *Järf.* Tornaeus (VII), IX, p. 43.
2. 1673. *Gulo.* Scheffer (VIII), p. 339.
3. 1675. *Vielfrass.* Martinière (X), p. 62.
4. 1707. *Vielfrass.* Örn (XII), p. 59.
5. 1748. *Vielfrass.* Scheller (XVII), p. 51.
6. 1767. *Gulo.* Leem (XX), p. 201.
7. 1772. *Mustela Gulo.* Lagus (XXII). Kgl. Vet. Ak. Handl. Bd. XXXIII, p. 354.

8. 1798. *Ursus Gulo.* Thunberg (XXX), p. 24.

9. 1800. — *Gulo.* Georgi (XXXI), p. 1547, n. 4.

10. 1804. — *Gulo.* Grape (XXXII). Kgl. Vet. Ak. Nya Handl. Bd. XXV, p. 91.

11. 1804. *Mustela martri.* Acerbi (XXXIII), T. III, p 124, 132.

12. 1828. *Vielfrass.* Sjögren (XLV), p. 14, 43 u. 44.

13. 1830. *Россомаха.* Рейнеке (XLVIII), стр. 30. ⸱

14. 1832. *Jerf.* Laestadius (LXII). Tidskr. f. Jäg. och Naturf. T. I, p. 282—283.

15. 1832. *Jerf.* Ekström (LXIV). Ibidem, T. I, p. 283.

16. 1832. *Jerf.* Borin (LXIII). Ibidem, T. I, p. 283.

17. 1832. *Jerf.* Wright (LXV). Ibidem, T. I, p. 298.

18. 1834. *Jerf.* Melchior (LXIX), p. 59.

19. 1843. *Россомаха.* Рейнеке (CI), стр. 49.

20. 1845. *Gulo borealis.* Middendorff (CV). Beitr. z. Kenntn. d. Russ. Reichs, Bd,ʼXI, p. 171, 177.

21. 1847. — *borealis.* Nilsson (CIX), p. 141, 142.

22. 1849. *Россомаха.* Верещагинъ (CXII), стр. 39.

23. 1851. *Järf.* Malm (CXVII), p. 80. ⸱

24. 1854. *Gulo borealis* Nilss. Brandt (CXXIII), p. 20.

25. 1860. *Vielfrass.* Ziegler (CLXXXVI), p. 112.

26. 1861—62. *Россомаха.* Соловцовъ (CXXXI). Арх. Губ. Вѣд. стр. 252, 292, 327, 379 (1861 г.), 76 (1862 г.).

27. 1868. *Jaerv.* Rasch (CXLVI). Förh. i Vid. Sellsk. i Christ. p. 12.

28. 1868. *Россомаха.* Терентьевъ (CXLV). Арх. Губ. Вѣд. № 50.

29. 1869. *Mustela Gulo.* Bowden (CXLVIII), p. 65.

30. 1869. *Россомаха.* Дергачевъ (CXLIX). Арх. Губ. Вѣд. № 87.

31. 1874. *Gulo borealis* Retz. Lilljeborg (CLVIII), p. 546, 547.

32. 1875. *Россомаха.* Охота на Кольск. пол.(CLXI). Арх. Губ. Вѣд.№24.

33. 1875. *Gulo borealis* Retz. Collett (CLXIV), Carte zoogéogr.

34. 1876. *Россомаха.* Немировичъ-Данченко (CLXV), стр. 38.

35. 1877. *Россомаха.* (CLXIX). Журналъ Охоты, № 5, Т. VI, стр. 67.

36. 1877. *Gulo borealis* Retz. Collett (CLXX). Nyt Mag. f. Naturv. Bd. 22, p. 92, n. 31.

37. 1877. *Ursus Gulo.* Fellman (CLXXXIII), p. 244, n. 18.

Benennungen: Bei der russischen Bevölkerung *Rossomacha* (россомаха). Die Lappländer am Imandra nennen den Vielfrass, nach meinen Erkundigungen, *Kijet*, was mit den anderen lappländischen Benennungen übereinstimmt und nur einer localen abweichenden Aussprache unterworfen ist. Nach Leem und Acerbi heisst er in Finmarken *Gjeed'k*, nach Fellman *Gädke*, nach Wright *Kiedke*.

Der Vielfrass ist eigentlich ein Bewohner der Tundra und der subalpinen Region, steigt aber im Winter, theilweise der Renthiere wegen, theilweise um sich an den Vorräthen der Lapländer zu vergreifen, auch in's Flachland hinab. Hieraus ergiebt sich der Umstand, dass wir Nachrichten über sein Vorkommen nicht nur aus solchen Gegenden erhalten, wo sein eigentliches Wohngebiet zu finden ist, sondern auch aus dem ganzen Umfange unseres Gebietes. Nach Ssolowzow (26) wird der Vielfrass bei Ponoj, an der Mündung des Weissen Meeres, und ebenso von den Lapländern von Kamennyj Pogost erlegt. An der Murman-Küste hat Prof. Lilljeborg (31) den Vielfrass gefunden, und da die Bucht Schuretzkaja der westlichste Punkt ist, den dieser Naturforscher an der Murman-Küste berührt hat, so stammen seine Mittheilungen jedenfalls aus den östlichsten Theilen unseres Gebietes. In der Gegend von Kandalakscha kommt er ebenfalls vor, da der dortige Urjadnik auf der Wolosnaja Tundra ihn im Frühlinge des Jahres 1880 beobachtet hat. Am Imandra ist das Thier sowohl nach Middendorff (20), Ssolowzow (26) und Nemirowitsch-Dantschenko (34), als auch nach meinen Erkundigungen nicht selten. Von einem Vielfrass, welcher am Flusse Kola bei der Station Kitzä·gelebt hat, berichteten die dortigen Lapländer. Nach Ssolowzow (26) soll er auch bei Kola vorkommen, jedoch glaube ich, dass er dort nicht sehr zahlreich ist. Aus Ssongelskij Pogost habe ich ein sehr schönes Fell des Vielfrasses erhalten. Am Notosero wird er, nach Terentjeff (28), von den dortigen Einwohnern gefangen; ebenso nach Ssolowzow (26) bei Pe-

tschenga. Für Ostfinmarken haben wir die Zeugnisse von
Leem (6), Rasch (27) und Collett (33, 36). Nach den statistischen Angaben des Prof. Rasch (27) sind im Jahre 1861
— 14, 1862 — 12, 1863 — 12, 1864 — 52, 1865 — 32
Vielfrasse in Finmarken erlegt worden. In Enare und
Utsjoki ist der Vielfrass durch Sjögren (12), Malm (23)
und Fellman (37) nachgewiesen worden. In Torneå-Lapmark haben ausser Tornaeus (1) noch Laestadius (14)
und Wright (17) aus Karesuando, Fellman (37) und
Grape (10) aus Enontekis, Ekström (15) aus Haparanda und Karungi und Borin (16) aus Öfver-Calix
Nachrichten über den Vielfrass geliefert. Aus Kemi-Lapmark berichten Sjögren (12) und Tornaeus (1) über den
Vielfrass. Ausserdem führt Fellman (37) ihn noch für Kuolajärvi und Sodankylä und Lagus (7) für Kuusamo an.

Der Vielfrass ist unbedingt das schädlichste Thier Laplands, da er einerseits der ärgste Feind der wilden und
der zahmen Renthiere, namentlich der Kälber ist, andererseits sich häufig an den Vorräthen der Lapländer vergreift.
Trotzdem, dass diese letzteren ihre Vorräthe tief in die
Erde vergraben und die Deckel mit schweren Steinen belas-
ten, versteht es der Vielfrass doch regelmässig bis zu der
Esswaare zu gelangen. Auch soll er sich nicht damit begnügen, sich an den Vorräthen sattzufressen, sondern den
Rest mit seinem Unrath beschmutzen. Der Hass der Lapländer gegen den Vielfrass ist daher sehr gross, und bei
Erkundigungen über das Thier erhält man immer zuerst
die Antwort: это звѣрь пакостливый, d. h. ein unsauberes
Thier, ein Stänkerer.

Auf meine Nachfrage, ob der Vielfrass auch wirklich so
unglaublich viel fresse, berichteten mir die Lapländer, dass
er die Gewohnheit habe, einen Theil seiner Beute an ver-

šchiedenen Stellen zu verbergen, und es daher den Anschein habe, als ob·er auf einmal eine unglaubliche Menge
Futter zu sich nehmen könne.

Dem Vielfrass wird mit Gewehr und Fallen eifrig nach-
gestellt, da sein Balg, namentlich wenn er keine weissen
Haare hat, ziemlich theuer im Preise ist und mit 5 — 7
Rubeln bezahlt wird.

Genus 5. MUSTELA L.

26. Mustela Martes Briss.

1. 1672. *Mård.* Tornaeus (VII), IX, p. 43.
2. 1673. *Mardur.* Scheffer (VIII), p. 341.
3. 1675. *Marte.* Martinière (X), p. 58.
4. 1707. *Marder.* Örn (XII), p. 60.
5. 1748. *Marder.* Scheller (XVII), p. 51.
6. 1767. *Martes.* Leem (XX), p. 200.
7. 1772. *Mustela Martes.* Lagus (XXII). Sv. Vet. Ak. Handl. Bd. XXXIII, p. 354.
8. 1804. — *Martes.* Grape (XXXII). Kgl. Vet. Ak. Nya Handl. Bd. XXV, p. 91.
9. 1804. { *Martre de rocher.* | *Martre des sapins.* | *Martre de bouleau.* } Acerbi (XXXIII), { T. III, p. 123. | T, III, p. 124. | T. III, p. 124. }
10. 1828. *Marder.* Sjögren (XLV), p. 14, 43 u. 44.
11. 1830. *Куница.* Рейнеке (XLVIII), стр. 30.
12. 1835. *Куница.* Делеръ (LXXXVII). Лѣсной Журналъ. Т. IV, кн. 2, стр. 307.
13. 1843. *Куница.* Рейнеке (CI), стр. 49.
14. 1844. *Mård.* Fellman (CII), p. 142.
15. 1845. *Mustela Martes.* Middendorff (CV). Beitr. z. Kenntn. d. Russ. Reichs, Bd. XI, p. 170, 177.
16. 1847. — *sylvestris* Gesn. Nilsson (CIX), p. 172.
17. 1856. *Куница.* Поромовъ (CXXVI). Арх. Губ. Вѣд. стр. 356, 381.
18. 1860. *Marder.* Ziegler (CLXXXVI), p. 112.
19. 1861. *Куница.* Соловцовъ (CXXXI). Арх. Губ. Вѣд. стр. 379.
20. 1865. *Куница.* Потманъ (CXL). Арх. Губ. Вѣд. Прилож. стр. 183.
21. 1868. *Куница.* Терентьевъ (CXLV). Арх. Губ. Вѣд. № 50.
22. 1869. *Mustela Martes.* Bowden (CXLVIII), p. 58.

23. 1869. *Куница.* Дергачевъ (CXLIX). Арх. Губ. Вѣд. № 87.
24. 1869. *Куница.* Дергачевъ (CL). Арх. Губ. Вѣд. № 103.
25. 1871. *Martes foina* Briss. Wheelwright (CLI), p. 228.
26. 1874. *Mustela Martes* L. Aubel (CLIX), p. 228.
27. 1874. *Martes sylvatica* Nilss. Lilljeborg (CLVIII), p. 530.
28. 1875. — *sylvatica* Nilss. Collett (CLXIV), Carte zoogéogr.
29. 1877. *Куница.* Немировичъ-Данченко (CLXVI), стр. 40, 288.
30. 1877. *Mustela sylvatica* Nilss. Collett (CLXX). Nyt Mag. f. Naturv.
Bd. 22, p. 92, n. 30.
31. 1877. — *Martes.* Fellman (CLXXXIII), p. 233, n. 14.

Benennungen: Bei der russischen Bevölkerung *Kunitza* (куница); bei den Lapländern in allen Theilen des Landes *Naette*, *Näätte* oder *Noette* (nach meinen Erkundigungen am Imandra, nach Leem, Melchior,
Nilsson und Fellman).

Es ist nicht möglich mit völliger Bestimmtheit anzugeben, ob in Lapland nur der Baummarder vorkommt, oder
neben demselben auch der Steinmarder anzutreffen ist.
Nilsson (16) führt ihn für das nördliche Skandinavien an,
scheint aber seiner Sache auch nicht sicher zu sein; Wheelwright (25) behauptet nur diesen Marder gefunden zu haben, und Acerbi (9) führt dreierlei Marderarten an, die
sich durch ihre Aufenthaltsorte unterscheiden. Auch auf
der Kola-Halbinsel hörte ich von dem Bezirksförster,
dass weisskehlige Marder zuweilen erbeutet werden. Doch
sind meiner Ansicht nach alle diese Mittheilungen unge-
nügend, um die Frage zu beantworten. Daher müssen wir
bis auf weitere Nachrichten warten und für den Augenblick
annehmen, dass nur ein Marder und zwar der Baummarder
im russischen Lapland vorkommt.

Der Marder bewohnt nur denjenigen Theil Laplands,
der mit Nadelwald bedeckt ist, worauf schon der alte
Scheffer (2) hinwies. Einerseits mag seine Lebensweise in

Baumhöhlen ihn an den Wald fesseln, andererseits auch die Verbreitung des Eichhorns die seinige bedingen. Dennoch steigt der Marder auch in die Birkenregion hinauf, doch nur in den Fällen, wenn der Nadelwald nicht weit entfernt ist.

In Loparskoje Sselenje, der Insel Ssosnowetz gegenüber, fand Aubel (26) Marderfelle, die wohl in der Nähe des Ortes erbeutet waren. Ssolowzow (19) berichtet, dass die Bewohner von Kamennyj Pogost dem Marder eifrig nachstellen. Bei Kandalakscha ist derselbe nach meinen und namentlich nach W. Lawrow's Erkundigungen nicht selten; die dortigen Bewohner kennen (nach Lawrow) Baumhöhlen, die der Marder gewöhnlich˙ bewohnt, sogen. *Shelnoboini* (желнобойни), d. h.˙ vom Schwarzspecht ausgehöhlte Bäume. Am Imandra ist er, nach Middendorff's (15) wie nach meinen Erkundigungen, ebenfalls nicht selten. Aus Kola selbst haben wir nur solche Nachrichten [Martinière (3)], die da beweisen, dass der Marder zwar als Handelsartikel dahin gelangt, jedoch in der Umgegend der Stadt wohl˙ nur selten vorkommt. An der Tuloma hat ihn Nemirowitsch-Dantschenko (29) und am Noto-See Terentjeff (21) nachgewiesen. In Enare ist er nach Sjögren (10) und Fellman (31) nicht selten; hingegen soll er nur selten im nördlichen Theile von Utsjoki vorkommen. Für Enontekis führt ihn Grape (8) an. Dass er aber auch dort noch nördlicher geht, beweisen die Funde in Finmarken von Leem (6) und Collett (30). Letzterer berichtet, dass Nordvi noch aus dem Tana-Thale Marder erhalten habe. Auch im Sydvaranger-Distrikte kommt der Marder vor. Aus Torneå- und Kemi-Lapmark erwähnen seiner Tornaeus (1) und Sjögren (10); aus·Kuusamo führt ihn Lagus (7) an.

Die wenigen Angaben, die wir über die Anzahl der in

Lapland erlegten Marder besitzen, beweisen schlagend, dass die Zahl derselben sehr im Abnehmen begriffen ist. So sind im Kreise Kola im Jahre 1834 nach Döhler (12) 238 Marder erlegt worden; für das Jahr 1869 nimmt aber Dergatscheff (23, 24) nur 92 als Durchschnittszahl an, und im Jahre 1867, welches besonders unergiebig war, sollen nach ihm sogar nur 40 Stück erlegt worden sein.

Der Preis des Marderfells schwankt zwischen 5 und 8 Rubeln.

Ich habe aus Lapland einen vollständigen Balg und eine Kehle mitgebracht, die beide ohne Zweifel dem Baummarder angehören.

Mustela Zibellina Gm.

1. 1673. *Sabellina*. Scheffer (VIII), p. 343.
2. 1675. *Zobel*. Martinière (X), p. 58.
3. 1748. *Zobel*. Scheller (XVII), p. 51.
4. 1800. *Mustela Zibellina*. Georgi (XXXI), p. 1532, n. 6.
5. 1835. *Соболь*. Делеръ (LXXXVII). Лѣсной Журналъ, Т. IV, кн. 2, стр. 307.

Nach den Angaben von Scheffer (1), Martinière (2), Scheller (3) und Georgi (4) soll der Zobel im vorigen Jahrhundert in Lapland und zwar nach Letzterem namentlich um Kola vorgekommen sein. Von neueren Angaben ist diejenige von Döhler (5) zu erwähnen, laut welcher im Jahre 1834 noch 14 Zobel im Gouvernement Archangel erlegt worden sind, von denen zwei aus dem Kemschen Kreise stammten. Da jedoch die Kreise Kem und Kola damals getrennt waren, so ist anzunehmen, dass diese Zobel in keinem Falle aus unserem Gebiete stammten.

Alle diese Angaben können für den Augenblick nicht

controlirt werden, und da das Vorkommen des Zobels durch keine neueren Funde bestätigt worden ist, so können wir mit Gewissheit annehmen, dass er jetzt in Lapland nicht vorkommt, im vorigen Jahrhundert aber vorgekommen sein mag.

Mustela Lutreola L.

1. 1804. *Viverra Lutreola.* Acerbi (XXXI), T. III, p. 132.
2. 1845. *Норка.* Пушкаревъ (CVI), Т. I, кн. 2, отд. 2, стр. 24.
3. 1845. *Норка.* Геогр. Стат. Об. Арх. Губ. (CVII). Арх. Губ. Вѣд. стр. 330.
4. 1869. *Норка.* Дергачевъ (CL). Арх. Губ. Вѣд. № 103.
5. 1869. *Mustela Lutreola.* Fellman (CLXXXIII), p. 233, n. 13.

Von allen oben verzeichneten Angaben beruht nur diejenige von Fellman (5), welcher vom Vorkommen des Nörzes bei Kuusamo berichtet, auf einem Factum. Doch kann auch Fellman nicht mit Gewissheit sagen, ob das Thier sich in Kuusamo fortpflanze, oder nur eingewandert sei. Die übrigen Angaben sind nicht beachtungswerth. Da der Nörz demnach auch in Kuusamo eher zu den zufälligen Erscheinungen gehört, so rechne ich ihn lieber nicht zur Fauna unseres Gebietes und führe ihn daher nur ohne Nummer an.

27. Mustela Erminea L.

1. 1672. *Lekat.* Tornaeus (VII), IX, p. 43.
2. 1673. *Hermelinus.* Scheffer (VIII), p. 343.
3. 1675. *Hermelin.* Martinière (X), p. 64.
4. 1707. *Hermelin.* Örn (XII), p. 61.
5. 1744. *Hermine.* Outhier (XVI), p. 94.
6. 1748. *Hermelin.* Scheller (XVII), p. 52.
7. 1767. *Mustela alpina.* Leem (XX), p. 220.
8. 1772. *Mustela Erminea.* Lagus (XXII). Kgl. Vet. Ak. Handl. Bd. XXXIII, p. 354.
9. 1804. — *Erminea.* Grape (XXXII). Kgl. Vet. Ak. Nya Handl. Bd. XXV, p. 91.

10. 1804. *Горностай.* Озерецковскій (XXXV), стр. 55.

11. 1804. *Hermine.* Acerbi (XXXIII), T. III, p. 130.

12. 1819. *Hermelin.* Bedemar (XXXIX), p. 154.

13. 1828. *Hermelin.* Sjögren (XLV), p. 43, 44.

14. 1829. *Ermine.* Everest (XLVI), p. 173.

15. 1832. *Hermelin.* Wright (LXV). Tidskr. f. Jäg. och Naturf. Bd. I, p. 297.

16. 1834. *Mustela Erminea.* Melchior (LXIX), p. 44.

17. 1847. — *Erminea* L. Nilsson (CIX), p. 160.

18. 1849. *Горностай.* Верещагинъ (CXII), стр. 39.

19. 1856. *Горностай.* Поромовъ (CXXVI). Арх. Губ. Вѣд. стр. 356.

20. 1861. *Горностай.* Соловцовъ (CXXXI). Арх. Губ. Вѣд. стр. 292, 327.

21. 1869. *Горностай.* Дергачевъ (CXLIX). Арх. Губ. Вѣд. № 87.

22. 1869. *Горностай.* Дергачевъ (CL). Арх. Губ. Вѣд. № 103.

23. 1874. *Mustela Erminea* L. Lilljeborg (CLVIII), p. 504.

24. 1874. — *Erminea* L. Aubel (CLIX), p. 228.

25. 1875. — *Erminea* L. Collett (CLXIV), Carte zoogéogr.

26. 1876. *Горностай.* Немировичъ-Данченко (CLXV), стр.112.

27. 1877. *Mustela Erminea* L. Collett (CLXX). Nyt Mag. f. Naturv. Bd. 22, p. 90, n. 28.

28. 1877. — *Erminea.* Fellman (CLXXXIII), p. 235, n. 15.

Benennungen: Der russische Name in Lapland ist *Gornostalj* (горносталь), statt des Bücherausdruckes *Gornostai* (горностай). Die Lapländer am Imandra nennen das Hermelin *Puiti*, in Finmarken nach Leem *Boaaid* (das Männchen *Gvaaige*, das Weibchen *Gad'fe*); nach Fellman heisst das Thier *Sharke*, *Påjta*, *Påjtug* (das Männchen *Kåjge*, das Weibchen *Katve*, *Kadse*, das junge Thier *Påjta shuvge*, *Påjtag shuvge*).

Das Hermelin ist vorzugsweise ein Bewohner der subalpinen Region und kommt daher in unserem Gebiete entweder im höheren Norden, oder auf solchen Gebirgen vor, die bis in diese Region hineinragen. Doch steigt das Thier auch häufig in's Flachland hinab, namentlich während der Lemmingswanderungen, und hierdurch erklären sich die zahlreichen Funde des Hermelins in Gegenden, wo die sub-

alpine Region fehlt oder nur sehr vereinzelt auftritt. Die
Uebersicht der einzelnen Funde auf der Kola-Halbinsel
wird diese Ansicht durchweg bestätigen.

Aus dem östlichsten Theile unseres Gebietes haben wir
Nachrichten aus Ponoj [durch Ssolowzow (20)] und von
Loparskoje Sselenje, der Insel Ssossnowetz gegenüber [durch Aubel (24)]. Diese Angaben sind sehr bezeich-
nend, da gerade in diesen Gegenden die Tundra aufhört und
die subalpine Region beginnt. Ferner besitzen wir Nachrichten, die W. Lawrow in Kandalakscha gesammelt
hat und laut welchen das Hermelin in den Umgegenden dieses Ortes vorkommt. Am Imandra soll es nach Ssolowzow (20) seltner sein als bei Ponoj, wohl daher, weil
es mehr auf die Gebirge beschränkt ist. Meinen Erkundigungen zufolge ist es am Imandra allen Einwohnern bekannt, tritt aber doch seltner auf als in der Gegend von
Kola, wo die subalpine Region ausgeprägt ist. Aus Kola
erwähnt seiner auch Martinière (3), und an der Eismeerküste beobachtete es Oseretzkowsky (10). In Enare kommt
das Hermelin, nach Sjögren (13), in bedeutender Menge
vor und fehlt, nach Leem (7) und Collett (25, 27), auch
im benachbarten Finmarken nicht, selbst nicht am Varanger-Fjorde und längs der Eismeerküste bis zum Nordcap hinauf. In Torneå-Lapmark ist sein Vorkommen
bei Enontekis durch Grape (9), bei Karesuando durch
Wright (15), bei Torneå durch Outhier (5), bei Kengis durch Everest (14), so wie endlich durch die Angaben von Tornaeus (1), die sich auf die ganze Landschaft
beziehen, genügend constatirt. Im finnischen Lapland
haben es Fellman (28) bei Sodankylä und Lagus (8)
bei Kuusamo gefunden.

Das Thierchen, welches den Lappländern zuweilen durch

Diebstahl an ihren Vorräthen Schaden zufügt, wird in·allerhand Fallen gefangen und sein Fell zum Preise von 10— 15 Kop. verkauft.

28. Mustela vulgaris Briss.

1. 1767. *Mustela nivalis*. Leem u. Gunner (XX), p. 221 (71).
2. 1775. — *nivalis*. Hammer (XXIII), p. 9, n. 28.
3. 1798. *Viverra nivalis*. Thunberg (XXX), p. 17.
4. 1804. *Mustela nivalis*. Grape (XXXII). Kgl. Vet. Ak. Nya Handl. Bd. XXV, p. 91.
5. 1804. — *nivalis*. Acerbi (XXXIII), T. III, p. 132.
6. 1832. *Mindre Hermelin*. Wright (LXV). Tidskr. f. Jäg. och Naturf. Bd. I, p. 297.
7. 1834. *Mindre Hermelin*. Melchior (LXIX), p. 45, 46.
8. 1845. *Ласка*. Пушкаревъ (CVI), Т. I, кн. 2, отд. 2, стр. 24.
9. 1845. *Ласка*. Геогр. Стат. Об. Арх. Губ. (CVII). Арх. Губ. Вѣд. стр. 330.
10. 1847. *Mustela vulgaris* Er.xl. Nilsson (CIX), p. 164.
11. 1860. *Wiesel*. Ziegler (CLXXXVI), p. 112.
12. 1869. *Ласка*. Дергачевъ (CL). Арх. Губ. Вѣд. № 103.
13. 1874. *Mustela nivalis* L. Lilljeborg (CLVIII), p. 508.
14. 1875. — *nivalis* L. Collett (CLXIV), Carte zoogéogr.
15. 1877. — *nivalis* L. Collett (CLXX). Nyt Mag. f. Naturv. Bd. 22, p. 91, n. 29.
16. 1877. — *nivalis*. Fellman (CLXXXIII), p. 237, n. 16.

Benennungen: Der russische Localname ist mir nicht bekannt. Der lapländische Name ist nach Leem und Melchior *Seibusch*, nach Fellman *Seibus*, in Utsjoki *Seibelakki, Seibasta, Seibettamasch*, in Enare *Kafatsch* (nach Fellman).

Trotz der nicht geringen Anzahl von Angaben, lässt sich vom Wiesel nur allenfalls constatiren, dass es in allen Theilen unseres Gebietes vorkommt und dieselbe Verbreitung hat wie das Hermelin. Es ist ein hauptsächlicher Bewohner der subalpinen Region, kommt aber auch in's Flachland herab, namentlich zur Zeit von Lemmingswanderungen. Es ist jedoch überall ziemlich selten.

Genus 6. LUTRA Raj. Erxl.

29. Lutra vulgaris Erxl.

1. 1672. *Utter.* Tornaeus (VII), IX, p. 43.
2. 1673. *Lutra.* Scheffer (VIII), p. 340.
3. 1707. *Otter.* Örn (XII), p. 60.
4. 1767. *Lutra.* Leem (XX), p. 208.
5. 1772. *Mustela Lutra.* Lagus (XXII). Sv. Vet. Ak. Handl. Bd. XXXIII, p. 354.
6. 1800. — *Lutra.* Georgi (XXXI), p. 1528, n. 2.
7. 1804. — *Lutra.* Grape (XXXII). Kgl. Vet. Ak. Nya Handl. Bd. XXV, p. 91.
8. 1804. *Выдра.* Озерецковскій (XXXV), стр. 56.
9. 1804. *Outre.* Acerbi (XXXIII), T. III, p. 128.
10. 1813. *Выдра.* Молчановъ (XXXVIII), стр. 239.
11. 1828. *Otter.* Sjögren (XLV), p. 43, 44.
12. 1830. *Выдра.* Рейнеке, (XLVIII), стр. 30.
13. 1832. *Utter.* Wright (LXV). Tidskr. f. Jäg. och Naturf. Bd. I, p. 297.
14. 1834. *Mustela Lutra* L. Melchior (LXIX), p. 47.
15. 1838. *Fischotter.* Baer (LXXXIX). Bull. sc. T. III. p. 142.
16. 1843. *Выдра.* Рейнеке (CI), стр. 51.
17. 1844. *Utter.* Fellman (CII), p. 95, 142.
18. 1845. *Выдра.* Пушкаревъ (CVI), T. I, кн. 2, отд. 2, стр. 24.
19. 1845. *Выдра.* Геогр. Стат. Об. Арх. Губ. (CVII). Арх. Губ. Вѣд. стр. 330.
20. 1845. *Lutra vulgaris.* Middendorff (CV). Beitr. z. Kenntn. d. Russ. Reichs, Bd. XI, p. 170.
21. 1847. — *vulgaris* Erxl. Nilsson (CIX), p. 177.
22. 1849. *Выдра.* Верещагинъ (CXII), стр. 42.
23. 1856. *Выдра.* Поромовъ (CXXVI). Арх. Губ. Вѣд. стр. 356, 357, 381.
24. 1860. *Otter.* Ziegler (CLXXXVI), p. 112.
25. 1861. *Выдра.* Соловцовъ (CXXXI). Арх. Губ. Вѣд. стр. 292, 327, 379.
26. 1865. *Выдра.* Потманъ (CXL). Арх. Губ. Вѣд. Прилож. стр. 183.
27. 1866. *Выдра.* Терентьевъ (CXLV). Арх. Губ. Вѣд. № 50.
28. 1869. *Выдра.* Дергачевъ (CXLIX). Арх. Губ. Вѣд № 87.
29. 1869. *Выдра.* Дергачевъ (CL). Арх. Губ. Вѣд. № 103.
30. 1874. *Lutra vulgaris* Erxl. Lilljeborg (CLVIII), p. 559.
31. 1875. — *vulgaris* Erxl. Collett (CLXIV), Carte zoogéogr.
32. 1875. *Выдра.* Ох. на Кольск. пол. (CLXI). Арх. Губ. Вѣд. № 24.
33. 1876. *Выдра.* Немировичъ-Данченко (CLXV), стр. 112.
34. 1877. *Выдра.* Немировичъ-Данченко (CLXVI), стр. 40.

35. 1877. *Выдра*. (CLXIX). Журналъ Охоты, № 5, Т. VI, стр. 67.
36. 1877. *Lutra vulgaris* Erxl. Collett (CLXX). Nyt Mag. f. Naturv. Bd
22, p. 93, n. 32.
37. 1877. — *vulgaris*. Fellman (CLXXXIII), p. 231, n. 12.

Benennungen: Bei der russischen Bevölkerung *Wydra* (выдра); bei den Lappländern am Imandra *Tschëuris*,
was mit den Angaben von Leem, Melchior und
Fellman, nach welchen das Thier *Zhjevres, Zhievres,
Zhjeres* oder *Zevres* heisst, übereinstimmt. Die zuletzt verzeichneten Namen sind in den übrigen Lapmarken gebräuchlich. Ausserdem heisst nach Fellman das Männchen *Goige*, das Weibchen *Snaka* oder
Snaakka, das junge Männchen *Farrogoige*, das junge
Weibchen *Farrosnaakka*.

Die Fischotter ist über unser ganzes Gebiet verbreitet
und bewohnt sowohl Fluss- und See-Ufer, als auch die Gestade des Meeres und Oceans. Sie hält sich an keinen
Pflanzengürtel, was wohl durch ihre Nahrung bedingt
wird, soll aber nach Collett (36) in den Gebirgen bis
zur Birkenregion hinaufsteigen. Doch ist anzunehmen,
dass sie auch höher hinaufsteigen würde, wenn die alpine
Zone passende Gewässer mit genügendem Fischreichthum
aufzuweisen hätte.

Bei Ponoj, an der Ostküste der Halbinsel, hat Ssolowzow (25) das Vorhandensein der Fischotter nachgewiesen. Hierauf habe ich von ihrem Vorkommen am Flusse
Niwa, am Saschejek und bei Kandalakscha Kunde erhalten. Ferner wurde mir ein Otternbalg auf der Station Jokostrow am Imandra zum Kaufe angeboten. Am
Imandra haben sie ausser mir noch Ssolowzow (25) und
v. Middendorff (20) gefunden. Ersterer berichtet, dass
auch in Kamennyj Pogost Ottern gefangen werden. Bei

Kola soll sie nach Nemirowitsch-Dantschenko (34) und nach meinen Erkundigungen nicht selten sein. Oseretzkowski (8) hat sie dort bis zur Eismeerküste verfolgt und Exemplare beobachtet, die aus dem Ocean an's Land stiegen. Nach Terentjeff (27) beschäftigen sich die Bewohner der Ufer von Notosero mit Otternfang, und nach Poromow (23) wird dieser Fang auch in den Flüssen Njarduna, Tuloma und Pasvig betrieben. Aus Enare erwähnen Sjögren (11) und Fellman (17, 37) der Fischotter, wobei Letzterer berichtet, dass sie dort und in Utsjoki häufig sei. In Finmarken kommt sie nach Leem (4) und Collett (36) bis zum Varanger-Fjorde vor. Das schwedische und finnische Lapland bewohnt sie ebenfalls, wie es die Angaben von Tornaeus (1) und die specielleren von Wright (13) aus Karesuando, von Grape (7) aus Enontekis und von Lagus (5) aus Kuusamo bestätigen.

Die Fischotter wird ihres werthvollen Pelzes wegen sehr eifrig verfolgt, und zwar theils mit dem Gewehre, theils mit Tellereisen, die unter dem Wasser gestellt werden. Der Balg kostet 5 bis 6 Rubel.

Ordo V. PINNIPEDIA.

Genus 1. PHOCA L.

30. Phoca vitulina Fabr.

1. 1767. *Steenkobbe.* Leem (XX), p. 213.
2. 1775. *Steenkobbe.* Hammer (XXIII), p. 4, n. 9.
3. 1780. *Phoca vitulina.* Лепехинъ (XXVI), Ч. IV, стр. 8, 312, 314 (I).
4. 1800. — *vitulina.* Georgi (XXXI), p. 1494, n. 3.
5. 1834. — *vitulina* L. Melchior (LXIX), p. 230.

6. 1844. *Phoca variegata.* Fellman (CII), p. 95.

7. 1845. — *vitulina.* Middendorff (CV). Beitr. z. Kenntn. d. Russ. Reichs, Bd. XI, p. 141.

8. 1847. *Нерпа.* Богуславъ (CVIII). Тр. Имп. Вольно-Экон. Общ. Ч. I, стр. 5.

9. 1847. *Phoca vitulina* L. Nilsson (CIX), p. 279.

10. 1858. *Нерпа.* Богуславъ (CXXVIII). Арх. Губ. Вѣд. № 4' стр. 28.

11. 1859. *Phoca vitulina.* Максимовъ (CXXIX), стр. 28.

12. 1861— 62. *Тюлень или нерпа.* Соловцовъ (CXXXI). Арх. Губ. Вѣд. № 34, стр. 287 (1861 г.); стр. 76 (1862 г.).

13. 1862. *Phoca vitulina* L. Данилевскій (CXXXIV), стр. 83.

14. 1869. *Нерпа.* Дергачевъ (CL). Арх. Губ. Вѣд. № 104.

15. 1873. *Phoca vitulina.* Schultz (CLIV), p. 26.

16. 1874. — *vitulina* L. Aubel (CLIX), p. 71.

17. 1874. — *vitulina* Fabr. Lilljeborg (CLVIII), p. 680.

18. 1875. — *vitulina* Fabr. Collett (CLXIV), Carte zoogéogr.

19. 1877. — *vitulina* L. Collett (CLXX). Nyt Mag. f. Naturv. Bd. 22, p. 108, n. 39.

20. 1877. — *variegata.* Fellman (CLXXXIII), p. 1, n. 2.

Benennungen: Bei der russischen Bevölkerung *Nerpa* (нерпа); bei den Lappländern *Nuorrosh* nach Leem und Melchior, *Nuorrisk* nach Hammer, *Nuorjo* nach Nilsson, *Njårju* nach Fellman.

Der gewöhnliche Seehund kommt längs dem ganzen Ufer des russischen Laplands, sowohl am Weissen Meere, als auch an der Murman-Küste und bis Finmarken hinauf, ständig vor und geht auch ziemlich tief in die grösseren Flüsse hinein. Bei Kandalakscha ist er nach meinen Beobachtungen und den Mittheilungen von Hrn. Lawrow häufig und wird auf dieselbe Weise gejagt, wie es weiter unten, bei Besprechung von *Phoca barbata,* berichtet werden wird. Von dort her hat auch die Expedition zwei Exemplare erhalten. Im Kandalakscha-Busen hat Aubel (16) ihn bei Medweshij-Ostrow beobachtet. Nach Ssolowzow (12) wird er bei Ponoj ebenfalls gefangen. Am Eingange in den Kola-Busen, bei den Toros-Inseln, beobachtete Middendorff(7) eine grosse Anzahl Robben, die zum Theil dieser Art angehörten. Im Kola-Busen selbst und an der Tuloma, in die er 25 Werst weit hinaufgehen soll, habe ich ihn zahlreich beobachtet. Bei Petschenga wird er, nach Ssolowzow (12), von den Einwohnern eifrig gejagt. Im Varanger-Fjorde ist er nach Fellman. (6) und Nordvi [angeführt bei Lilljeborg (17) und Collett (19)] nicht selten; nach Collett (19) soll er die Pasvig-Elf und nach Fellman (20) und Nordvi den Tana-Fluss hinaufsteigen. So z. B. kommt er nach Fellman (20) bei Wuolle Käynes und Storforss häufig vor, soll aber sogar zehn Meilen südlich von Utsjoki, beim Zusammenfluss des Enare und Karasjoki, Junge geworfen haben. Die Bestätigung seines Vorkommens dort haben wir neuerdings auch durch Nordvi [siehe Lilljeborg (17) und Collett (19)] erhalten.

- Phoca vitulina ist der ärgste Feind der Lachse und fügt daher den Lappländern oft grossen Schaden zu.

31, Phoca foetida Müll.

(*Ph. annellata* Nilss. = *Ph. hispida* Müll.)

.1. 1767. *Hauskar-Gubbo?* Gunner apud Leem (XX), p. 215, Anm. (66).
2. 1775. *Hauskar-Gubbo*. Hammer (XXIII), p. 4, n. 13.
3. 1834. *Phoca annellata*. Melchior (LXIX), p. 238.
4. 1844. — *hispida?* Fellman (CII), p. 95.
5. 1845. — *cucullata* (wohl ein Druckfehler, statt *annellata*). Middendorff (CV). Beitr. z. Kenntn. d. Russ. Reichs, Bd. XI, p. 141.
6. 1847. — *annellata* Nilsson (CIX), p. 286.
7. 1862. — *annellata* Nilss. Данилевскій (CXXXIV), p. 83.
8. 1873. — *annellata*. Schultz (CLIV), p. 26.
9. 1874. — *foetida*. Lilljeborg (CLVIII), p. 687.
10. 1875. —: *foetida* Müll. Collett (CLXIV), Carte zoogéogr.
11. 1877. — *annellata*. Немировичъ-Данченко (CLXVI), стр. 139.
12. 1877. — *foetida* Müll. Collett (CLXX). Nyt Mag: f. Naturv. Bd. 22, p. 109, Anm. 2.

Benennungen: Russisch *Nerpa* (нерпа); lapländisch vielleicht *Hauskar-Gubbo*, nach Leem, Hammer und Melchior.

Die Nachrichten über diese Robbe sind sehr wenig zuverlässig, und den einzigen sichereren Anhaltspunkt bietet noch die Angabe von Danilewski (7), dass diese Art im Weissen Meere häufiger sei als *Phoca vitulina*. Ausserdem wird diese Robbe noch von Middendorff (5) für das Eismeer am Kola-Busen und von Nemirowitsch-Dantschenko (11) für die Umgegend der Ainowschen Inseln angeführt. Auf diese Angaben kann man sich jedoch ebenfalls nicht besonders verlassen, da ihnen, namentlich in dem letzteren Falle, wohl keine Bestimmung der Art zu Grunde liegt. Auch in Finmarken ist dieses Thier nicht mit Gewissheit nachgewiesen worden.

32. Phoca groenlandica Müll.

(Ph. oceanica Lepechin = *Ph. dorsata* Pall.)

1. 1767. *Daevok, Aine, Daelja.* Leem (XX), p. 213, 214.
2. 1775. { *Flekkusel.* } Hammer (XXIII), { p. 4, n. 7.
   { *Svartside.* } { p. 4, n. 10.
3. 1778. *Phoca oceanica* Lepechin (XXIV). Acta Ac. Im. sc. T. I, P. I, p. 259.
4. 1780. — *oceanica.* Лепехинъ (XXVI), Ч. IV, стр. 8, 312, 315 (II), 316 — 321.
5. 1800. — *groenlandica.* Georgi (XXXI), p. 1499, n. 4.
6. 1811. — *dorsata* Pallas (XXXVII), p. 112.
7. 1830. *Тюлень.* Рейнеке (XLVIII), стр. 30, 57.
8. 1834. *Phoca groenlandica.* Melchior (LXIX), p. 226.
9. 1838. — *groenlandica.* Baer (LXXXIX). Bull. sc. T. III, p. 143, 350.
10. 1844. — *groenlandica.* Fellman (CII), p. 95.
11. 1847. *Лысунъ.* Богуславъ (CVIII). Тр. Имп. Вольно-Экон. Общ. Ч. I, стр. 5.
12. 1847. *Phoca groenlandica* Müll. Nilsson (CIX), p. 292, 293.
13. 1857—58. *Лысунъ.* Богуславъ (CXXVIII). Арх. Губ. Вѣд. № 49, стр. 434; № 52, стр. 457; № 1 (1858 г.), стр. 6.
14. 1859. *Phoca groenlandica.* Максимовъ (CXXIX), стр. 28.

15. 1862. *Phoca groenlandica* Müll. Данилевскій (CXXXIV), стр. 83,
    151—152.

16. 1864. — *groenlandica* Müll. Malmgren (CXXXIX). Wiegm. Arch.
    p. 78.

17. 1869. *Лысунъ.* Дергачевъ (CL). Арх. Губ. Вѣд. № 103.

18. 1873. *Phoca groenlandica* Müll. Schultz (CLIV), p. 26.

19. 1874. — *groenlandica* Müll. Lilljeborg (CLVIII), p. 694.

20. 1875. — *groenlandica* Müll. Collett (CLXIV), Carte zoogéogr.

21. 1877. *Лысунъ.* Тюл. пр. на Бѣл. м. (CLXVIII). Арх. Губ. Вѣд. № 66.

22. 1877. *Phoca groenlandica* Müll. Collett (CLXX). Nyt Mag. f. Naturv.
    Bd. 22, p. 110, n. 40.

23. 1878. *Лысунъ.* Отч. Арх. Губ. Стат. Ком. за 1876 г. (CLXXI), стр. 99.

24. 1880. *Кожи.* Шабунинъ (CLXXXI). Арх. Губ. Вѣд. № 30.

25. 1880. *Лысунъ.* (CLXXX). Арх. Губ. Вѣд. № 52.

Benennungen: Der grönländische Seehund, der im Weissen
Meere der Gegenstand eines ergiebigen Fanges ist,
hat in der russischen Sprache je nach dem Alter eine
Menge verschiedener Benennungen. Allgemein werden die Thiere *Lyssi* (лыси) oder *Sserki* (сѣрки) genannt.
Bei seiner Geburt heisst das Thier, das mit einer
dicken, wolligen Haarbekleidung versehen ist, die in's
Grüngelbliche sticht, *Selenetz* (зеленецъ). Nach einer
Woche, wenn die Färbung weisser geworden ist, werden die Thiere *Beljki* (бѣльки) genannt. Wenn das wollige Kleid in Büscheln auszufallen beginnt, erhält das
Thier die Bezeichnung *Plechanko* (плѣханко) oder *Choch-
luscha* (хохлуша). Dieses Stadium findet gewöhnlich
statt, wenn das Thier ungefähr einen Monat alt ist.
Nachdem die ganze wollige Bekleidung abgestreift ist,
führt der kleine Seehund den Namen *Sserka* (сѣрка), der
zuweilen auch als allgemeine Bezeichnung für diese Art,
namentlich für die jüngeren Thiere gebraucht wird.
Wenn die Thiere fast ein Jahr alt sind, werden sie *Sse-
runy* (сѣруны) genannt und erhalten darauf im folgenden
Jahre schon verschiedene Namen nach den Geschlech-

tern: das Weibchen heisst *Uteljga* (утельга), das Männchen *Lyssun* (лысунъ) oder *Krylatka* (крылатка). Dies sind schon die Namen der erwachsenen Thiere; die jungen werden noch. *Konshui* (конжуй) genannt. Zu verzeichnen ist ferner, dass Schaaren von Seehunden ohne Speciesunterschied entweder *Koshi* (кожи), oder *Jurowà* (юрова) genannt werden. Die lapländischen Namen sind für das männliche Thier *Daevok*, für das weibliche *Daelja* und *Aine*, nach. Leem, Hammer, Melchior und Nilsson.

Der mondfleckige oder grönländische Seehund ist kein ständiger Bewohner der Küsten unseres Gebietes, sondern erscheint an denselben zu ganz genau bestimmten Zeiten, einerseits um in's Weisse Meer zu gelangen, wo er auf grossen Treibeisfeldern seiner Fortpflanzung nachgeht, andererseits um aus dem Weissen Meere sich in den Ocean zurückzuziehen. Nur sehr ausnahmsweise werden im Laufe des ganzen Jahres einzelne grönländische Seehunde im Weissen Meere gefunden, und diese Thiere muss man als verirrte betrachten. Regelmässig erscheinen sie dagegen Ende October und im November, wobei vielleicht ein geringer Theil, die nichtfortpflanzungsfähigen, nicht in's Weisse Meer geht, sondern an der Murman-Küste verbleibt. Im Weissen Meere halten sich die Thiere den ganzen Winter auf, werfen bald nach ihrer Ankunft auf grossen Eisfeldern, füttern die Jungen auf und paaren sich dann wieder, worauf sie im März das Weisse Meer zu verlassen beginnen. Hierbei kommen sie auch mit den Gestaden unseres Gebietes in Berührung, wie ich es gleich ausführen werde. Sobald die Jungen ihr wolliges Kleid abgeworfen haben, verlassen sie zuerst das Weisse Meer,

wobei es manchmal vorkommt, dass sie sich etwas in der
Richtung versehen oder, vom Winde getrieben, in den Kandalakscha-Busen gelangen, statt die Mündung des Weissen Meeres zu passiren. Bald nach ihnen rühren sich auch
die alten Thiere und treiben mit den Eisschollen allmählich
der Mündung des Weissen Meeres zu. In der Regel gelangen sie dabei an das Vorgebirge Woronoff, am Ostufer
des Weissen Meeres, beim Dorfe Kedy; doch werden
sie durch anhaltende Nordostwinde zuweilen auch an das
entgegengesetzte, Terskische Ufer getrieben, wo sie bei
Ponoj, dem Hafenort Dewjatoje und am Vorgebirge Or-
loff von den Einwohnern erbeutet werden. Dieser Fang
findet gewöhnlich zwischen dem 1. und 25. März statt.
Unterdessen haben aber die Jungen das Ende des Kandalakscha-Busens erreicht und sind umgekehrt, da sie keinen
Ausgang gefunden haben. Um den 23. April ziehen sie dann
in grossen Schaaren längs dem Terskischen Ufer, bei
Umba, Porja-Guba und Tetrina vorbei, wo sie auch in
beträchtlicher Menge gefangen werden. Besonders ergiebig
soll nach Boguslav (13) diese Jagd im Jahre 1839 beim
Dorfe Warsucha gewesen sein. Ein kleiner Theil der ein-
gewanderten Seehunde bleibt zuweilen auch im Kandalakscha-Busen zurück, wo sie sich dann vereinzelt her-
umtreiben und von den Einwohnern erbeutet werden. Sobald
die Seehunde den Ausgang aus dem Weissen Meere gefunden haben, hängt ihre fernere Richtung, wie Schabu-
nin (24) mit Recht behauptet, von den zu der Zeit anhalten-
den Winden ab, die die Eisschollen treiben. In der Regel
ziehen sie nach Osten, doch kommt es auch häufig genug
vor, dass die Thiere nach Westen getrieben werden und
dann zum Entsetzen der Fischfänger auf der Murman-
Küste erscheinen, wo sie die Fische vertreiben. So berichtet

Reineke (7), dass im Jahre 1801 die Seehunde nur auf der Fischer-Halbinsel fehlten, sonst aber an der ganzen Murman-Küste erschienen waren. In den Jahren 1803, 1807, 1808 und 1809 fand dasselbe statt. Im Jahre 1857 berichtete Boguslav (13) von ihrem Erscheinen an der Murman-Küste. Im Jahre 1880 sind die Thiere besonders zahlreich gewesen: nach den Erkundigungen, die Hr. Lawrow von murmanischen Fischern eingezogen hat, waren sie selbst bis zur westlichen Seite der Fischer-Halbinsel, hinter Zypnavolok und Waido-Guba, vorgedrungen. Diese Angaben werden auch in einer Notiz in den Archangelschen Gouvernements-Blättern (25) bestätigt.

In Finmarken sind, nach Nordvi und Collett (22), die alten Thiere sehr selten, die Jungen aber erscheinen namentlich zum Winter und halten sich in den offenen Fjorden oder im Ocean auf. Nach Nordvi [siehe Lilljeborg (19)] sind sie im Varanger-Fjorde vereinzelt zu jeder Jahreszeit anzutreffen.

Die obige Schilderung des Erscheinens dieses Seehundes an den Ufern der Kola-Halbinsel ist zum grössten Theile den Arbeiten von Lepechin (4), Maximow (14) und besonders Danilewski (15) entnommen; doch sind alle diese Angaben durch Hrn. Lawrow's Erkundigungen bei den Einwohnern von Kandalakscha kritisch geprüft worden...

33. Phoca barbata Müll.

(*Ph. leporina* et *Ph. Lepus marinus* Lepechin = *Ph. albigena* Pall.).

1. 1767. *Har-Ert.* Gunner apud Leem (XX), p. 215, Anm. (66).
2. 1775. *Har-Ert* (*Phoca ursina*). Hammer (XXIII), p. 4, n. 15.
3. 1778. *Phoca leporina* Lepechin (XXIV). Acta Ac. Imp. sc. T. I, P. I, p. 264.

4. 1780. *Phoca Lepus marinus.* Лепехинъ (XXVI), Ч. IV, стр. 8, 312, 322, 323 (III).

5. 1800. { *Phoca barbata.* } Georgi (XXXI), p. 4196 c) und { — *leporina* Lepechin. } 1500, n. 5.

6. 1811. *Phoca albigena* Pallas (XXXVII), p. 109.

7. 1834. — *barbata.* Melchior (LXIX), p. 213.

8. 1845. — *barbata.* Middendorff (CV). Beitr. z. Kenntn. d. Russ. Reichs, Bd. XI, p. 141.

9. 1847. *Заяцъ.* Богуславъ (CVIII). Тр. Имп. Волно-Экон. Общ. Ч. I, стр. 5.

10. 1847. *Phoca barbata* Fabr. Nilsson (CIX), p. 296.

11. 1858. *Заяцъ (морской).* Богуславъ (CXXVIII). Арх. Губ. Вѣд. № 3, стр. 19.

12. 1859. *Phoca leporina.* Максимовъ (CXXIX), стр. 28, 49.

13. 1861. *Морской заяцъ.* Соловцовъ (CXXXI). Арх. Губ. Вѣд. № 34, стр. 287, 313.

14. 1862. *Phoca barbata.* Данилевскій (CXXXIV), стр. 83, 84.

15. 1864. *Halichoerus grypus* Fabr. Malmgren (CXXXIX). Wiegm. Arch. p. 74.

16. 1864. *Phoca barbata* Fabr. Malmgren (CXXXIX). Wiegm. Arch. p. 74.

17. 1869. *Заяцъ.* Дергачевъ (CL). Арх. Губ. Вѣд. № 104.

18. 1873. *Phoca barbata* Nilss. Schultz (CLIV), p. 26.

19. 1874. — *barbata* Müll. Lilljeborg (CLVIII), p. 701.

20. 1875. — *barbata* Müll. Collett (CLXIV), Carte zoogéogr.

21. 1877. — *barbata.* Немировичъ-Данченко (CLXVI), стр. 139.

22. 1877. — *barbata* Müll. Collett (CLXX). Nyt. Mag. f. Naturv. Bd. 22, p. 110, n. 40.

Benennungen: Bei der russischen Bevölkerung *Morskoi · sajatz* (морской заяцъ); lapländisch *Aine* (nach Nilsson).

Trotz der vielen angeführten Angaben, lässt sich aus denselben nur der Schluss ziehen, dass *Phoca barbata* im Weissen Meere und an der Murman-Küste vorkommt. An genaueren Angaben haben wir nur die Berichte von Middendorff (8), der diese Robbe bei den Toros-Inseln am Eingange in den Kola-Busen beobachtet hat, und von Ssolowzoff (13) und Némirowitsch-Dantschenko (21), die von ihrem Vorkommen bei den Ainowschen Inseln

berichten. Ueber ihr Vorkommen an der Murman-Küste
kann ich nichts mittheilen, da ich mich daselbst nicht aufgehalten habe; ich werde mich daher auf kurze Daten über
den Fang derselben im Kandalakscha-Busen beschränken,— Daten, die ich meist von Hrn. Lawrow erhalten habe,
der längere Zeit in Kandalakscha zugebracht hat. Diese
Robbe hält sich dort einzeln zwischen Inseln auf, steigt auch
zuweilen an's Land (was *Phoca groenlandica* niemals thut)
und wird vom Boot oder vom Ufer aus mit dem Gewehr
erlegt. Der Fang beginnt gewöhnlich erst gegen den 15.
August, weil die Thiere früher zu wenig Fett haben und
daher nach dem Schusse untergehen. So wie das Thier getroffen ist, fährt der Schütze an die Stelle heran und fängt
es mit einem Haken auf, da es gewöhnlich nicht tief sinkt.
Hr. Lawrow erlangte in Kandalakscha ein Weibchen
dieser Art. Die Robben des Weissen Meeres sind jedoch durchgängig bedeutend kleiner als diejenigen, welche
den Ocean bewohnen. In den angrenzenden Theilen von
Finmarken kommt das Thier nach Collett (22) einzeln
vor, ist aber seltner als früher. Aus den Angaben von Malmgren (16) ersieht man hingegen, dass die alten, ausgewachsenen Exemplare, die *Har-Ert* genannt werden, selten sind,
während die jüngeren Thiere, deren Benennung er auf *Halichoerus grypus* bezogen hat, häufiger vorkommen.

Genus 2. HALICHOERUS Nilss.

Halichoerus grypus Fabr.

1. 1767. { *Jaegees?* / *Fattne Vindne?* } Leem (XX), p. 213, 215.

2. 1775. { *Hvid Soelhund (Jaegees)?* / *Krumsnablet Soelhund (Fattne vindne).* } Hammer (XXIII), { p, 4, n. 8. / p. 4, n. 12.

3. 1834. *Phoca grypus.* Melchior (LXIX), p. 221.
4. 1847. *Halichoerus grypus* Fabr. Nilsson (CIX), p. 304.
5. 1874. — *grypus* Fabr. Lilljeborg (CLVIII), p. 716.
6. 1875. — *grypus*·Fabr. Collett (CLXIV), Carte zoogéogr.
7. 1877. — *grypus* Fabr. Collett (CLXX). Nyt Mag. f. Naturv.
   Bd. 22, p. 115, n. 42.

Benennungen; Einen russischen Namen hat das Thier wohl
kaum, da es im russischen Gebiete weder im Weissen Meere, noch im nördlichen Ocean vorkommt.
Was die lapländischen Namen betrifft, so sind vielleicht die bei Leem (1) und Hammer (2) angeführten richtig, doch kann ich deren Richtigkeit nicht
controliren. Den Namen *Jaegees* giebt ihm Melchior
(3), während ich die Angaben über die *Fattne Vindne*
aus dem Grunde zu *Hal. grypus* gezogen habe, weil
dies der einzige krummnasige Seehund ausser der
Cystophora cristata ist, auf welche sich jedoch dieser Name augenscheinlich nicht bezieht.

Da durchaus keine Quellen über das Vorkommen des
Halichoerus grypus, sei es im Weissen Meere oder an
der Murman-Küste, vorhanden sind, und auch für Norwegen nur dessen Vorkommen in Westfinmarken durch
Prof. Lilljeborg (5) festgestellt ist, so glaube ich annehmen zu dürfen, dass er in unserem Gebiete nicht vorkommt. Die Angaben von Malmgren (siehe *Ph. barbata*)
über den *Grönsoel* beziehen sich nach Collett (7) auch
nicht auf *Halichoerus grypus*, sondern auf einjährige Thiere
der *Phoca barbata*. Ebenso unrichtig sind die Vermuthungen desselben Forschers, dass die Seehundsart, welche
den Winter in Menge im Weissen Meere verbringt und
sich dort fortpflanzt, zu der besprochenen Art gehört; diese
Seehunde sind vielmehr *Phoca groenlandica*, wie es schon

Pallas, Lepechin und viele andere Forscher unzweifelhaft festgestellt haben und wie auch ich nach den von mir gesehenen Fellen nur bestätigen kann.

Halichoerus grypus mag häufig unser Gebiet am Bottnischen Meerbusen berühren; indessen möchte ich ihn aus diesem Grunde doch nicht als zur Fauna Laplands gehörig betrachten.

Genus 3. CYSTOPHORA Nilss.

34. Cystophora cristata Erxl.

1. 1767. *Oaaido.* Leem (XX), p. 214.
2. 1775. { *Klapmütze.* } Hammer (XXIII), { p̃. 4, n. 11.
   { *Phoca leonina.* } { p. 4, n. 16.
3. 1780. *Тевякъ.* Лепехинъ (XXVI), Ч. IV, стр. 312, 323.
4. 1834. *Phoca cristata.* Melchior (LXIX), p. 216.
5. 1838. — *cristata* Erxl., *Cystophora borealis* Nilss. Baer(LXXXIX). Bull. sc. T. III, p. 350.
6. 1844. *Phoca leonina.* Fellman (CII), p. 95.
7. 1847. *Тевякъ.* Богуславъ (CVIII). Тр. Имп. Вольно-Эк. Общ. Ч. I, стр. 5.
8. 1847. *Cystophora cristata* Erxl. Nilsson (CIX), p. 315.
9. 1857—58. *Тевякъ.* Богуславъ(CXXVIII). Арх.Губ.Вѣд. №49, стр.434; № 3 (1858 г.), стр. 19.
10. 1859. *Phoca cristata s. monachus.* Максимовъ (CXXIX), стр. 28, 50.
11. 1862. *Cystophora cristata* Nilss. Данилевскій (CXXXIV), стр. 83.
12. 1864. — *cristata* Erxl. Malmgren (CXXXIX). Wiegm. Archiv, p. 72—74.
13. 1869. *Тевякъ.* Дергачевъ (CL). Арх. Губ. Вѣд. № 104.
14. 1873. *Cystophora cristata* Nilss. Schultz (CLIV), p. 26.
15. 1874. *Phoca monachus* L. Aubel (CLIX), p. 407, n. 3.
16. 1874. *Cystophora cristata* Erxl. Lilljeborg (CLVIII), p. 726.
17. 1875. — *cristata* Erxl. Collett (CLXIV), Carte zoogéogr.
18. 1877. — *cristata* Erxl. Collett (CLXX). Nyt Mag. f. Naturv. Bd. 22, p. 116, n. 43.
19. 1878. *Тевякъ.* Отч. Арх.Губ. Стат. Ком. за 1876 г. (CLXXI), стр. 99.

Benennungen: Bei der russischen Bevölkerung *Tewjak* (тевякъ); lapländisch *Oaaido* nach Leem, Hammer,

Melchior und Nilsson, *Avjor* nach Gunner (bei Nilsson).

Es liegen wohl über kein Thier Laplands so einstimmige Angaben vor wie über die Mützenrobbe; daher halte ich es auch für überflüssig, die einzelnen Berichterstatter zu nennen, sondern werde einfach ein Resumé ihrer Berichte liefern.

In's Weisse Meer kommt die Klappmütze nicht hinein, sondern geht an dessen Mündung westlich bis zu den Tri-Ostrowa, am Terskischen Ufer, und östlich bis zur Insel Morshowetz. Ausser allgemeineren Angaben über ihr Vorkommen dort, die nicht auf Autopsie beruhen, berichtet Aubel (15), dass er bei Tri-Ostrowa diese Robbe beobachtet hat. Ferner kommt dieselbe längs der Murman-Küste vor, muss aber auch dort selten sein, da die meisten Angaben nicht von deren Vorkommen an der Küste, sondern im Murmanischen Meere, also wahrscheinlich im offenen Ocean, berichten. Diese Ansicht stimmt auch mit den Angaben aus Finmarken überein, denn wenn auch einzelne Forscher, wie Fellman (6) und Nordvi [bei Collett (18)], von dem Vorkommen der Klappmütze im Varanger-Fjorde berichten, so gehen die übrigen Angaben, namentlich diejenigen von Malmgren (12) und Collett (18), darauf hinaus, dass das Thier sich meist im offenen Meere aufhält, ungern in die Fjorde kommt und daher nur selten erlegt wird.

Diese Angaben bestätigen in mir zweierlei Ueberzeugungen: 1) dass die Klappmütze ein unbedingter Bewohner des Oceans ist, da gerade bei Tri-Ostrowa der Ocean beginnt, und 2) dass das Thier sich deshalb im offenen Meere aufhält, um den Golfstrom zu vermeiden.

Genus 4. TRICHECHUS L.

35. Trichechus Rosmarus L.

1. 1767. *Hval-Ros.* Leem (XX), p. 215.
2. 1780. $\left\{ \begin{array}{l} \textit{Phoca Rosmarus.} \\ \textit{Trichechus Rosmarus.} \end{array} \right\}$ Лепехинъ (XXVI), Ч. IV, стр. 8, 312, 324 (V).
3. 1800. *Trichechus Rosmarus.* Georgi (XXXI), p. 1488, n. 1.
4. 1804. — *Rosmarus.* Acerbi (XXXIII), T. III, p. 129.
5. 1834. — *Rosmarus.* Melchior (LXIX), p. 241.
6. 1838. — *Rosmarus.* Baer (LXXXIX), p. 187.
7. 1844. *Valross.* Fellman (CII), p. 95.
8. 1847. *Моржъ.* Богуславъ (CVIII).Тр. Имп. Вольно-Экон. Общ. Т. I, стр. 7.
9. 1847. *Trichechus Rosmarus* L. Nilsson (CIX), p. 321.
10. 1857. *Моржъ.* Богуславъ (CXXVIII). Арх. Губ. Вѣд. № 49, стр. 434.
11. 1861. *Моржъ.* Соловцовъ (CXXXI). Арх. Губ. Вѣд. стр. 292.
12. 1862. *Hvalross.* Nordvi (CXXXIII). Öfv. af Kgl. Vet. Ak. Förh. XIX, p. 305.
13. 1874. *Rosmarus arcticus* Pall. Lilljeborg (CLVIII), p. 654.
14. 1875. — *arcticus* Pall. Collett (CLXIV), Carte zoogéogr.
15. 1875. *Wallross.* Middendorff (CLXII). Sib. R. Bd. IV, Th. 2, p. 937, Anm. 2.
16. 1877. *Rosmarus arcticus* Pall. Collett (CLXX). Nyt Mag. f. Naturv. Bd. 22, p. 117, n. 44.

Benennungen: Bei der russischen Bevölkerung *Morsh* (моржъ); das junge Thier wird nach Ssolowzow in Ponoj *Abramko* (абрамко) genannt. Bei den Lapländern heisst das Wallross *Morsh* oder *Morsk*, nach Leem, Acerbi, Melchior und Nilsson.

Das Wallross ist kein ständiger Bewohner der nördlichen Küste unseres Gebietes, erscheint aber manchmal daselbst, meist mit Treibeis. Namentlich für Ostfinmarken ist die Anzahl der einzelnen Funde nicht unbeträchtlich, und dies lässt vermuthen, dass es auch an der russischen Küste zahlreicher erscheint, als berichtet wird, da es wohl

häufig unbemerkt bleibt, während es sich in Finmarken
schwerlich der Beachtung entziehen kann. Nur Georgi (3)
behauptet, dass das -Wallross im Weissen Meere vorkomme, — eine Angabe, die bei der bekannten Unzuverläs-
sigkeit dieses Schriftstellers nicht weiter zu beachten ist. Von
seiner Erbeutung in den dreissiger Jahren bei Tri-Ostrowa,
dem Anfangspunkte des Oceans, berichtet Middendorff
(15). Bei Ponoj soll ·es nach Ssolowzow (11) gefangen
werden, was aber wohl nur Sache des Zufalls ist. Auf
der Insel Kildin ist nach Middendorff (15) zu Ende
der dreissiger Jahre ein Wallross erlegt worden, und
im Jahre vordem ein anderes auf der kleinen, bei Kildin gelegenen Insel Medweshij. Aus Finmarken berichtete Fellman (7) von dem ,Vorkommen des Wall-
rosses im Varanger-Fjorde während seines Aufenthalts daselbst. Er erwähnt namentlich eines grossen Exemplares, welches sich bis dicht an die Stadt Vardö ge-
wagt hatte, dort von dem Faktor Brodtkorb angegriffen
wurde, aber schwer verwundet entkam. Bei Lilljeborg
(13) und Collett (16) finden wir noch folgende Funde
verzeichnet. Im Jahre 1861 zeigte sich ein Exemplar im
Varanger-Fjorde. [Es ist unzweifelhaft dasselbe, dessen
auch Nordvi (12) erwähnt.] Ende November 1868 erschien ein Wallross im Kjölle-Fjorde. 1869 wurde ein
Wallross bei Gjesvaer am Nordcap, in Westfinmarken, und später, vielleicht dasselbe Exemplar, im Kjölle-
Fjord und Laxe-Fjord in Ostfinmarken gesehen. Im
Jahre 1870 wurde ein grosses Exemplar bei Gjesvaer
angeschossen; ein anderes hielt sich im März desselben
Jahres im Innern des Varanger-Fjordes auf.

Ordo VI. RUMINANTIA.

Genus I. CERVUS L.

36. Cervus Alces L.

1. 1672. *Elg.* Tornaeus (VII), IX, p. 43.
2. 1673. *Alces.* Scheffer (VIII), p. 336.
3. 1707. *Elendthier.* Örn (XII), p. 58.
4. 1748. *Elendthier.* Scheller (XVII), p. 50, 51.
5. 1767. *Alces.* Leem (XX), p. 186.
6. 1772. *Cervus Alces.* Lagus (XXII). Sv. Vet. Ak. Handl. Bd. XXXIII, p. 355.
7. 1834. *Elg.* Laestadius (LXXIX). Tidskr. f. Jäg. och Naturf. Bd. III, p. 941.
8. 1834. *Elg.* Bergman (LXXX). Ibidem, Bd. III, p. 942.
9. 1834. *Elg.* Burman, Fale (LXXXI). Ibidem, Bd. III, p. 945.
10. 1834. *Elg.* Littorin (LXXXIII). Ibidem, Bd. III, p. 946.
11. 1834. *Elg.* Boström (LXXXII). Ibidem, Bd. III, p. 946.
12. 1874. *Cervus Alces* L. Lilljeborg (CLVIII), p. 825.
13. 1874. — *Alces.* Aubel (CLIX), p. 102.
14. 1875. — *Alces* L. Collett (CLXIV), Carte zoogéogr.
15. 1875. *Elenn.* Middendorff (CLXII). Sibir. Reise, Bd. IV, Th. 2, p. 871, 872.
16. 1877. *Cervus Alces* L. Collett (CLXX). Nyt Mag. f. Naturv. Bd. 22, p. 127, n. 47, u. p. 129.
17. 1877. — *Alces.* Fellman (CLXXXIII), p. 265, n. 30.

Benennungen: Bei der russischen Bevölkerung *Lossj* (лось); bei den Lapländern am Imandra *Ssyrb* (сырбъ), nach Fellman *Sörva* oder *Zorva*.

Das Elenn gehört in der Gegenwart eigentlich nicht zur Fauna Laplands, da es erst bedeutend südlicher ständig vorkommt; doch ist eine ziemliche Anzahl von Nachrichten über verlaufene Thiere vorhanden, so dass seine Erscheinung daselbst nicht nur festgestellt ist, sondern man

sogar berechtigt ist, dasselbe für einen Bewohner Laplands anzusehen.

Von der eigentlichen Kola-Halbinsel besitzen wir
nur Nachrichten durch Aubel (13), welcher behauptet,
Elennthiere am Fusse der Chibinschen Berge beobachtet zu haben. Wenn mir die Neigung der Gebrüder Aubel
zum Phantasiren auch nicht bekannt wäre, so würde ich
diese Angabe doch für durchaus ungenau ansehen, da mir
die Lapländer am Imandra, die das Thier genau kennen, trotz meiner zahlreichen Nachfragen keinen Fall angeben konnten, dass in den letzten Jahren Elennthiere in
ihrer Gegend gesehen worden wären. Hingegen habe ich
einen sicheren Beweis für das Vorkommen dieses Thieres
in noch nördlicheren Gegenden als der Imandra-See. In
Kola erhielt ich ein sechsendiges Geweih, welches einem
Individuum angehört hat, das im Herbst des Jahres 1879
in der Nähe von Ssongelskij Pogost erbeutet worden
war. Alle übrigen Angaben, die wir besitzen, stammen aus
den benachbarten finnischen und skandinavischen Lapmarken. Auch dort ist das Thier eine verhältnissmässig
seltene Erscheinung, obgleich es nach Collett (16) noch
in den südlichen Theilen von Finmarken vorkommt; alle
übrigen Forscher sind darin einig, dass das Elenn daselbst
(in Torneå-Lapmark) nicht ständig vorkommt, sondern
nur zuweilen erscheint. So wissen wir durch Tornaeus (1),
dass im Jahre 1645 zwei Elennthiere in Torneå-Lapmark erbeutet wurden; ferner, durch Bergman (8) von
einem Elennthiere, das zu Ende der zwanziger oder Anfang
der dreissiger Jahre in Neder-Torneå erlegt worden ist.
Dieses mag wohl dasselbe Exemplar sein, von dessen Erlegung bei Nickala in Neder-Torneå im Jahre 1826 Boström (11) berichtet. In Kuusamo sollen nach Lagus (6)

im vorigen Jahrhundert einzelne Elennthiere sich gezeigt haben; gegenwärtig jedoch soll dort nach Middendorff (15) das Elenn gänzlich unbekannt sein. Fellman (17) erwähnt auch einzelner Elennsjagden, die in der Gegend von Rovaniemi abgehalten worden sind, bemerkt aber dabei ausdrücklich, dass ein Elennstand daselbst nie gewesen ist. Trotzdem jedoch, dass das Elennthier selbst in den südlichen Theilen Laplands nur sehr ausnahmweise gefunden worden ist, verläuft es sich auch bedeutend weiter nach Norden. Ausser dem von mir mitgebrachten Beweise seines Vorkommens in der Gegend von Ssongelskij Pogost, ist das Thier nach Fellman (17) im Jahre 1800 bei Utsjoki, nach Collett (16) im Jahre 1848 im Tana-Thale erlegt und nach Laestadius (7) bei Enontekis gesehen worden.

Das Elennthier ist unbedingt ein Bewohner des Nadelwaldes und sollte daher in seiner Verbreitung nach Norden gleichen Schritt mit demselben halten; doch ist es sehr schwer eine natürliche Grenze seiner Verbreitung anzugeben, da es möglich ist, dass das Thier durch Verfolgungen entweder aus seinem früheren Verbreitungsgebiete vertrieben, oder in demselben theilweise ausgerottet worden ist. Ausserdem muss noch erwähnt werden, dass in den gemässigteren Landstrichen das Elennthier gern im Erlen- und Weidengebüsch sich aufhält, und dass in Folge dieser seiner Vorliebe die Verbreitung der genannten Baumarten auch die Verbreitung des Elenns beeinflussen könnte.

Genus 2. RANGIFER Hamilton Smith.

37. Rangifer Tarandus L.

1. 1672. *Wild-Ren.* Tornaeus (VII), c. IX, p. 43.
2. 1673. *Rangifer sylvester.* Scheffer (VIII), p. 338.
3. 1707. *Wildes Rennthier.* Örn (XII), p. 61.
4. 1748. *Wildes Rennthier.* Scheller (XVII), p. 55.
5. 1767. *Rangifer.* Leem (XX), p. 182.
6. 1772. *Cervus Tarandus.* Lagus (XXII). Kgl. Vet. Ak. Handl. Bd. XXXIII, p. 354.
7. 1775. — *Tarandus.* Hammer (XXIII), p. 14, n. 50.
8. 1790. *Ren.* Enckel (XXVIII). Kgl. Vet. Ak. Handl. Bd. IX, p. 78.
9. 1800. *Cervus Tarandus.* Georgi (XXXI), p. 1610, n. 4.
10. 1804. — *Tarandus.* Acerbi (XXXIII), T. III, p. 115, 132.
11. 1804. — *Tarandus.* Grape (XXXII). Kgl. Vet. Ak. Nya Handl. Bd. XXV, p. 86.
12. 1804. *Wildes Rennthier.* Wahlenberg (XXXIV), p. 49.
13. 1811. *Cervus Tarandus.* Pallas (XXXVII), p. 108.
14. 1813. Дикій олень. Молчановъ (XXXVIII), стр. 239.
15. 1819. *Wildes Rennthier.* Bedemar (XXXIX), p. 154.
16. 1823. *Wildes Rennthier.* Schubert (XLI), p. 374, 395.
17. 1828. *Wildes Rennthier.* Sjögren (XLV), p. 14, 43 u. 44.
18. 1830. Дикій олень. Рейнеке (XLVIII), стр. 29.
19. 1832. *Cervus Tarandus.* Wright (LXV). Tidskr. f. Jäg. och Naturf. Bd. I, p. 295.
20. 1832. — *Tarandus.* Laestadius (LXVI). Ibidem, T. I, p. 344 seq.
21. 1841. *Rangifer Tarandus.* Hogguer (XCVII), p. 161.
22. 1843. Олень. Рейнеке (CI), стр. 49.
23. 1844. *Ren.* Fellman (CII), p. 139.
24. 1844. *Cervus Tarandus.* Lilljeborg (CIII), p. 21.
25. 1845. — *Tarandus.* Middendorff (CV). Beitr. z. Kenntn. d. Russ. Reichs, Bd. XI, p. 171.
26. 1847. — *Tarandus* L. Nilsson (CIX), p. 505.
27. 1849. Олень. Верещагинъ (CXII), стр. 39, 65, прим. н 81.
28. 1851. *Wildes Rennthier.* Schmidt (CLXXXV), p. 61.
29. 1851. *Vildren.* Malm (CXVII), p. 83, 84.
30. 1852. Олень. Взглядъ на пром. Арханг. Губ. (CXIX). Сынъ Отечества, VI, стр. 14.

31. 1856. *Дикій олень.* Поромовъ (CXXVI). Арх. Губ. Вѣд. стр. 356.
32. 1860. *Rennthier.* Ziegler (CLXXXVI), p. 94.
33. 1861—1862. *Дикій олень.* Соловцовъ (CXXXI). Арх. Губ. Вѣд. стр. 252, 292, 327, 340, 379 (1861 г.), стр. 76 (1862 г.).
34. 1865. *Дикій олень.* Пошманъ (CXL). ´Арх. Губ. Вѣд. Прилож. стр. 183.
35. 1868. *Дикій олень.* Терентьевъ (CXLV). Арх. Губ. Вѣд. № 50.´
36. 1869. *Дикій олень.* Дергачевъ (CXLIX). Арх. Губ. Вѣд. № 87.
37. 1869. *Дикій олень.* Дергачевъ (CL). Арх. Губ. Вѣд. № 103.
38. 1874. *Cervus Tarandus.* Aubel (CLIX), p. 64, 96, 109, 202.
39. 1874. *Rangifer Tarandus* L. Lilljeborg (CLVIII), p. 831, 841, 1067.
40. 1875. *Олень.* Немировичъ-Данченко (CLXIII), стр. 53.
41. 1875. *Дикій олень.* Охота на Кольск. полуостр.-(CLXI). Арх. Губ. Вѣд. № 24.
42. 1875. *Rangifer Tarandus* L. Collett (CLXIV), Carte zoogéogr.
43. 1876. *Дикій олень.* Немировичъ-Данченко (CLXV), стр. 38, 96, 98, 100.
44. 1877. *Дикій олень.* Немировичъ-Данченко (CLXVI), стр. 274, 280, 517.
45. 1877. *Дикій олень.* (CLXIX). Журналъ Охоты, № 5, Т. VI, стр. 67.
46. 1877. *Rangifer Tarandus* L. Collett (CLXX). Nyt Mag. f. Naturv. Bd. 22, p. 129, n. 48.
47. 1877. *Cervus Tarandus.* Fellman (CLXXXIII), p. 265, n. 31.

Benennungen: Die verschiedenen Benennungen der Alters-stufen des Renthiers gedenke ich in Form einer Tabelle zu liefern (pag. 181), der ich nur einige allgemeine Benennungen vorausschicken will. Das zahme Renthier wird von der russischen Bevölkerung der Kola-Halbinsel *Kormnoj oljèn* (кормной олень) genannt; die Lapländer am Imandra nennen ihn *Poads*, im übrigen Lapland *Påtso* oder *Boïtsoi* (nach Nilsson), *Puotsu* (nach Wright), *Potso* und in Kola *Padso* (nach Fellman). Das wilde Renthier wird am Imandra *Kont* oder *Rent* genannt, im übrigen Lapland *Godde* (nach Nilsson, Leem und Fellman) und *Kådde* (nach Wright).

Geschlecht u. Alter	Russische Namen	Lapländ. Namen, gesam. am Imandra	Finnische Namen nach Fellman	Lapländ. Namen nach Fellman	Namen in Karesuando (Wright)
Pull. ♂ ♀	Pyshik (пыжикъ)	Wuos	Miessi, Wuäsi	Vasikka	Miesi
Im 2ten Jahre ♂ ♀	Urak (уракъ) Wongelka (вонгелка)	Oret oder Lontschak Wunel	Shermak, Varek, Wareh Vuonäl oder Vuoäl	Orakka Vuondo	Värik Vuoknjal
Im 3ten Jahre ♂ ♀	Ubros (убросъ) Washenka od. Washintza (важенка oder важинца). Behält diesen Namen für ihr ganzes Leben.	Weicris Wadsch (bleibt unverändert).	Vuoviers, Vuorsch Rodno	Wuorsu Ruuno, Vajin. Den ersteren Namen trägt das Thier in den Jahren, wenn es nicht kalbt; im entgegengesetzten Falle führt es die zweite Benennung.	Vuobiers Rotno vuoknjal
Im 4ten Jahre ♂ ♀	Kundus (кундусь) —	Kontus —	Koddosch, Kuddusch Aldo	Kanteus —	Kottulas Vatja, Aldu
Im 5ten Jahre ♂ ♀	Byk (быкъ) — castrirt; Irvas (ирвасъ) — nicht castrirt. —	Chierk, Irvas, Jervas —	Koistos, Kosotos	Kosotus	Käskäs
Im 6ten Jahre ♂	—	—	Maaka najes	Maakkana	Mahkon
Im 7ten Jahre ♂	—	—	Namma loppa, Njammi loppa	Nimi loppa	Namma lahpi

Ausser den angeführten Benennungen, welche die verschiedenen Altersstufen bezeichnen, giebt es noch einige, die der Erwähnung werth sind. So heisst nach Wright in Karesuando das zahme männliche Renthier überhaupt *Varies*, das Weibchen *Ninnelas*; von dem wilden Thiere dagegen trägt das Männchen den Namen *Saruies*, das Weibchen *Skägnä*. Das verschnittene Renthier heisst nach Fellman *Herke*, nach Wright im ersten Jahre *Kaskick*, im zweiten und den folgenden Jahren *Herki*. Das zahme Renthier wird in seiner schwarzen Sommertracht (am Imandra) *Porkchierk* genannt. Zu verzeichnen wäre noch die Benennung *Sarakka*, welche (nach Laestadius) dem alten Männchen, das eine Heerde Weibchen anführt, beigelegt wird; zur Brunstzeit kämpfen solche Anführer untereinander, und der Flüchtling aus diesen Kämpfen wird am Imandra *Nudni* genannt.

Wenn wir über die geographische Verbreitung des Renthiers in unserem Gebiete berichten wollen, so können wir natürlich nur die auf das wilde Renthier bezüglichen Materialien in Betracht ziehen, da das domesticirte überall vorkommt, wo menschliche Ansiedelungen vorhanden sind. Beginnen wir, wie gewöhnlich, unsere Betrachtung mit dem Osten der Halbinsel, so finden wir bei Ssolowzow (33) die Angabe, dass das Renthier in der Gegend von Ponoj mit dem Gewehre gejagt wird. Auch im Innern des östlichen Theiles der Halbinsel, bei Kamennyj Pogost, bildet die Renthierjagd einen Erwerbszweig. Am Terskischen Ufer haben Aubel (38) und Nemirowitsch-Dantschenko (44) Renthiere gefunden: Letzterer auf dem Festlande, Ersterer hingegen auf den Medweshji-Inseln.

Diese Angaben sind leider sehr unsicher, da es sehr möglich ist, dass beide Reisende zahme Renthiere vor sich gehabt haben; besonders bin ich von der Richtigkeit meiner
Annahme in Betreff des Fundes auf den Medweshji-In-
seln-überzeugt, da es mir ganz genau bekannt ist, dass die
Bewohner der Küsten des Weissen Meeres ihre Renthiere
zum Sommer auf die Inseln bringen, um sie im Herbst um
so leichter einzufangen. So habe ich welche auf den Kusowa-
Inseln (bei Kem) und auf der Welitschaicha-Insel im
Kandalakscha-Busen angetroffen, und unsere Bootsleute
behaupteten einstimmig, dass diese Renthiere der localen
Bevölkerung angehörten. Aubel (38) berichtet ferner,
dass ein Renthier am Kandalakscha-Ufer erlegt worden sei. Bei Kandalakscha selbst kommt das wilde Renthier wohl nur ausnahmsweise vor. Bei einem Ausfluge auf
die Krestowaja-gora begegneten wir zwar einem Renthiere, welches möglicherweise wild war, denn in Kandalakscha wusste man nicht, dass Jemand sein Renthier dahin gebracht hätte; doch halte ich diesen Umstand für unge-
nügend, um mit Bestimmtheit zu behaupten, dass das ge-
sehene Thier ein wildes war. In der Gegend am Imandra,
wo das Renthier in früheren Zeiten sehr häufig gewesen ist,
findet es sich auch jetzt noch vor, wird aber entweder allmählich ausgerottet, oder zieht sich in die entlegensten Gegenden zurück. Middendorff (25) berichtete noch, dass
das Renthier sich im Winter in Rudeln von 300 — 400
Stück vor den Wölfen auf die baumlose Tundra flüchte.
Jetzt sind die Verhältnisse andere geworden, da von solchen Rudeln gar nicht mehr die Rede sein kann. Theilweise
mögen auch die Lappländer durch ihre Verfolgungen dem
Renthier grossen Schaden zugefügt haben; die Haupt-
schuld trägt jedoch unbedingt der Wolf, welcher früher

in Lapland in Menge auftrat und die Anzahl der Renthiere
sehr vermindert hat. Am Imandra kommt das Renthier
in grösserer Anzahl auf den entlegeneren Tundren, wie auf
der Umpdück-, Tschuni- und Montscha-Tundra [nach
Nemirowitsch-Dantschenko (43) und nach meinen Er-
kundigungen], vor, wird aber vereinzelt fast überall angetroffen. Von den Chibiny-gory (Umpdück) ist es namentlich der nördliche Theil, an der Golzowaja-rjeka und der
Ljawschina-gora, in welchem die Thiere häufiger zu finden sind. Dass die Renthiere vereinzelt auch in den weniger entlegenen Gegenden vorkommen, beweisen die von mir
mitgebrachten Exemplare. Das Männchen wurde acht Werst
von der Station Saschejek auf der Pasma-Waraka, in
geringer Entfernung vom See, in einer Schlinge gefangen,
das Weibchen mit dem Kalbe hingegen unweit der Station Jokostrow mit dem Gewehre erlegt und von Hrn.
Lawrow nach Kandalakscha gebracht. In der Gegend
von Rasnavolok sollen Renthiere nach Nemirowitsch-
Dantschenko (43) häufig sein; doch ist diese Angabe
sehr unwahrscheinlich. Von ihrem Vorkommen am Imandra berichtet auch Ssolowzow (33). Hieher gehören ferner die Angaben Aubel's (38) und Nemirowitsch-Dantschenko's (44): der erstere will zwischen dem Imandra
und dem Peles-See, der letztere zwischen dem Murdosero und dem Flusse Kola wilde Renthiere gesehen haben.
Auf der letzteren Strecke begegnete ich zwar ebenfalls
einem Renthierpaar, doch gehörte dasselbe, nach Aussage
der Führer, dem Lappländer Kobelew, und waren es also
unbedingt keine wilden Thiere. Auf den Olenji-Tundren
sollen zur Zeit, nach Nemirowitsch-Dantschenko (43),
die wilden Renthiere fast ganz verschwunden sein. Sehr
häufig hingegen sind dieselben, nach Aussage desselben Rei-

senden, noch gegenwärtig in der Gegend des Lowosero, wo die Bevölkerung eine weniger dichte ist. In der Gegend der Stadt Kola sollen nach Ssolowzow (33) ebenfalls Renthiere gejagt werden; doch glaube ich, dass in der näheren Umgebung der Stadt deren Anzahl wohl kaum bedeutend sein kann. Anders verhält es sich hingegen auf den entfernteren Tundraflächen, die sich bis zum Eismeere hinziehen, indem dort nach Aussage der Bewohner von Kola und auch einiger Beamten, die in Dienstangelegenheiten Winterreisen dorthin ausgeführt haben, die Anzahl der wilden Renthiere nicht unbedeutend ist und namentlich im Winter grössere Rudel angetroffen werden. Nach Ssolowzow (33) sollen die Renthiere auch auf die Toross-Inseln, an der Mündung des Kola-Busens, hinübergehen. In südwestlicher Richtung von Kola, in der Umgegend des Nötosero und in Ssongelskij Pogost, werden die Renthiere, nach Angabe des Priesters Terentjeff (35), regelmässig gejagt, doch verringert sich die Ausbeute auch dort merklich. Nach Nemirowitsch-Dantschenko (43, 44) sind die Kodowschen Berge am Notosero noch sehr reich an wilden Renthieren. In der Gegend von Petschenga, an der norwegischen Grenze, wird nach Ssolowzow (33) die Renthierjagd ebenfalls betrieben. Zwischen dem Muddusjärvi und dem Vaskojoki hat endlich Bedemar (15) eine bedeutende Anzahl von Spuren wilder Renthiere gefunden.

Die Verbreitung des wilden Renthiers in den verschiedenen Theilen des benachbarten finnischen und schwedischen Laplands kann kaum mit Gewissheit bestimmt werden. Nach den neuesten Nachrichten von Collett (42, 46) kommt das Renthier in Finmarken kaum mehr im wilden Zustande vor, sondern ist durch die gemeinschaftlichen Bemühungen des Menschen und des Wolfes fast gänzlich ausgerottet. In früheren Zeiten waren die Verhältnisse ganz andere, indem sowohl die älteren Schriftsteller, wie Scheffer (2) und Leem (5), von der Häufigkeit der Renthiere sprechen, als auch spätere Nachrichten deren Vorkommen mit Gewissheit constatiren. Wie es damit gegenwärtig in Torneå-Lapmark bestellt ist, kann ich ebenfalls nicht angeben, da genauere Berichte fehlen. Was die älteren Angaben betrifft, so führte Tornaeus (1) das Renthier für Torneå- und Kemi-Lapmark im Allgemeinen an, während Grape (11) für Enontekis, Wahlenberg (12) und Sjögren (17) für Enare und Schubert (16), Wright (19) und Laestadius (20) für Karesuando genauere Nachrichten lieferten. Schon im Jahre 1804 berichtete aber Wahlenberg (12), dass die Renthiere in Enare fast ganz ausgerottet seien und sich auf den Landrücken, namentlich in die Gegend von Sodankylä, zurückgezogen hätten, und um das Jahr 1828 sollen sie nach Sjögren (17) in der bezeichneten Gegend gar nicht mehr vorgekommen sein. Fellman (47) erzählt von gemeinsamen Jagden, an welchen sich die Bewohner von Kuolajärvi, Kemikylä, Sombio und Enare betheiligt haben.

Ich gedenke mich auf die mitgetheilten Daten über die geographische Verbreitung des Renthiers auf der Kola-Halbinsel zu beschränken und denselben nur einige Angaben über die Lebensweise des Thieres hinzuzufügen. Diese Angaben sind auf Grund der Berichte der Lapländer am Imandra zusammengestellt und nicht auf eigene Beobachtungen basirt; doch sind diese Berichte im Verlauf der ganzen übrigen Reise mehrmals durch Erkundigungen geprüft worden und haben sich dabei als richtig erwiesen.

Das wilde Renthier unterscheidet sich meiner Ansicht nach wesentlich von dem zahmen. Schon Scheffer (2) und Leem (5), besonders aber Malm (29), wiesen auf die bedeutendere Grösse der wilden Thiere hin, und ich kann ihnen darin nur beistimmen. Zwar habe ich nicht die Möglichkeit gehabt, vergleichende Messungen an zahmen und wilden Thieren anzustellen, da es mir an Individuen von gleichem Alter fehlte, doch kann ich schon nach den bedeutenden Dimensionen eines nicht ausgewachsenen (wahrscheinlich dreijährigen) wilden Männchens, das am Imandra für mich erbeutet wurde, die Richtigkeit meiner Ansicht ersehen. Die dem frischgefangenen Exemplar entnommenen Maasse sind in der nachfolgenden Uebersicht zusammengestellt:

	Millim.
Gesammtlänge, von der Schnauzenspitze bis zum Schwanze (incl.)	1990
Höhe am Widerrist	1210
» am Kreuze	1310
Entfernung zwischen den Schulterblättern	77,5
Breite des Beckens	300
Entfernung zwischen den Nasenlöchern	81
» » den Hörnern	69
Länge der Vorderextremitäten	908
» der Hinterextremitäten	1129
» des Schwanzes	177
Umfang des Halses am *Foramen occipitale magnum.*	460
» » » an den Vorderextremitäten	660
» hinter den Vorderextremitäten	1047,5
» des Vorderfusses im Ellenbogen	402,5
» » » im Carpalgelenk	205
» » » oberhalb des Hufes	250

Millim.

Umfang des Hinterfusses im Kniegelenk . . . .⸱. 470

» » » im Hacken 320

» » » oberhalb des Hufes 250

Länge des Ohres (an der Aussenseite gemessen) . . . 152,5

Ausser der bedeutenderen Grösse muss noch auf den Unterschied in der Haltung des Kopfes hingewiesen werden. Das wilde Thier hält den Hals gerade empor, weniger steif als der Edelhirsch, aber bedeutend höher als das zahme Renthier, das bekanntlich den Kopf sehr niedrig zu tragen pflegt. Auch soll das wilde Thier im Laufen eine weniger watschelnde Bewegung haben.

Was die Färbung des Renthiers betrifft, so ist das Thier Ende Juli, nach erfolgtem Haarwechsel, sowohl im wilden, wie im domesticirten Zustande am Körper bräunlichschwarz, zuweilen fast einfarbig schwarz, und nur auf dem Kopfe befindet sich eine hellere, silbergraue Färbung. Der Uebergang zum Winterkleide geschieht ganz allmählich, indem die Haare länger und durch Abnutzung immer heller und heller werden. Die regelmässige Wintertracht ist von einer bräunlichgrauen Färbung, die auf dem Rücken dunkler ist, nach den Seiten hin aber an Intensität des Farbentons abnimmt; die Seiten sind von breiten, bedeutend dunkleren Streifen eingefasst, auf welche dann der weisse Bauch folgt. Doch kommen von dieser Regel auch Ausnahmen vor, indem einerseits ganz weisse, andererseits weissgefleckte (s. g. бѣлокрылые) vorkommen, deren Körperseiten nicht mit einem schwächeren Ton der Rückenfärbung versehen sind, sondern halbmondförmige weisse Flecken aufzuweisen haben. Das Junge ist von einer gelblichbraunen Färbung, die stellenweise in's Aschgraue übergeht.

Die Aufenthaltsorte des wilden Renthiers wechseln mit den Jahreszeiten. Den Sommer verbringt das Thier meist zerstreut in der Waldregion und steigt beim Beginn des eigentlichen Winters in die höheren Regionen der Gebirge, auf die vom Walde entblössten Tundren hinauf. Diese Bevorzugung der Waldregion im Sommer und der Tundra im Winter steht in direktem Gegensatze zu der Lebensweise der zahmen Renthiere, welche im Winter ihre Dienstleistungen verrichten, im Sommer aber sich in die Nähe des ewigen Schnees begeben, um sich dadurch einigermassen vor den Bremsen zu schützen. Diese Verschiedenheit in der Lebensweise hat zu einigen Erklärungen der Erscheinung Veranlassung gegeben; so behauptet z. B. Wright (19), dass im Sommer die zahmen Renthiere im Gefolge von Lapländern auf der Tundra erscheinen und diese letzteren die wilden Thiere veranlassen die Gegend zu verlassen und sich in's Flachland zurückzuziehen, wo sie von den Bremsen viel mehr zu leiden haben. Ich finde es aber viel logischer, wenn man die Erscheinung auf folgende Weise erklärt. Das Futter ist zur Sommerzeit in der Waldregion so sehr viel besser, dass die Thiere seinetwegen in diese Region hinabsteigen; im Winter hingegen ist die Ernährung auf der Tundra bedeutend leichter, weil dort der Schnee stärker abgeweht wird als im Flachlande und daher die Renthiere viel leichter bis zum Futter gelangen. Selbst die zahmen Thiere ernähren sich im Winter nicht im Walde, sondern suchen weitere, unbewaldete Flächen auf, wo der Wind ihnen in der Erlangung des Futters Hülfe leistet. Jedoch kommt das wilde Renthier auch im Sommer auf der Tundra vor, wahrscheinlich an besonders günstigen Stellen, wo es mit Nahrung und Wasser gut versorgt ist.

Diejenigen Thiere, die im Sommer im Flachlande leben, wählen zu ihrem Standquartier meist solche Gegenden, wo sich grössere Seen in der Nähe befinden. Zwischen diesen Seen, in welchen sie Linderung von den Bremsenstichen suchen, und ihren Ruheplätzen sind Pfade eingetreten, die allemal so gewählt sind, dass das gepeinigte Thier auf denselben rasch laufen kann, ohne mit seinem Geweih hängen zu bleiben. In der Nacht haben die Thiere noch verhältnissmässige Ruhe, um die Mittagszeit aber werden sie, namentlich an warmen, windstillen Tagen, von den Bremsen, Mücken und Stechfliegen furchtbar mitgenommen. Wie oben schon erwähnt, halten sich die Thiere zu dieser Zeit meist einzeln auf, doch findet man auch häufig, dass eine Kuh mit ihrem Kalbe in Gesellschaft eines jüngeren Bullen lebt. Um diese Zeit wächst einerseits bei beiden Geschlechtern das Geweih und findet andererseits der Haarwechsel statt, — kurz der Sommer ist eine Leidenszeit für das Renthier. Der Haarwechsel ist in der Regel zum Elias-Tage (20. Juli) beendet und findet bei den Bullen früher statt als bei den Kühen. Das alte Haar erhält sich natürlich länger auf denjenigen Körpertheilen, welche weniger der Reibung an Bäumen, Aesten etc. unterworfen sind. Das von mir erlangte Exemplar war schon fast ganz ausgefärbt, und doch hatten sich noch ziemliche Quantitäten des alten Haares auf dem Rücken, dem Bauche, der Schnauze und den Füssen erhalten. Das Wachsthum des Geweihes geht auch im Laufe des Sommers von statten; letzteres erreicht bei den Bullen ebenfalls ungefähr um den 20. Juli seine vollständige Grösse, während bei den Kühen das Wachsthum desselben länger dauert. Dieses Geweih bleibt bis Ende August mit Fell bedeckt und wird darauf in kurzer Zeit (2 — 3 Tagen) gefegt. Nach einstimmiger Aussage der Lapländer soll die

Grösse des Geweihes in bedeutendem Grade von der Anzahl der Mücken im betreffenden Jahre abhängen. In den
Jahren nämlich, in denen weniger Mücken vorhanden sind
und die Renthiere also mehr Ruhe haben, soll das Geweih
bedeutend grössere Dimensionen erreichen als in heissen
Sommern, in welchen die Mückenzahl gewöhnlich unglaublich gross ist. Auch wurde mir erzählt, dass die Form·des
Geweihes bei den einzelnen Thieren sich daher verhältnissmässig immer gleich bleibe, weil zu der Zeit, da das Geweih noch ganz weich ist, die Thiere häufig mit dem Hinter-
fusse daran kratzen und auf diese Weise dessen Form beeinflussen. Ob dies richtig ist, wage ich nicht zu entscheiden,
doch ist es eine bei der Bevölkerung der Kola-Halbinsel
sehr verbreitete Ansicht. Zum August hat das Renthier die
schwerste Jahreszeit überwunden, einerseits weil die krank-
haften Processe, wie Haarwechsel und Geweihbildung, über-
standen, andererseits weil alle stechenden Insecten verschwunden sind. Um diese Zeit frisst sich das Renthier sehr
bald fett, so dass es zum Ende des Monats, da es sein Geweih fegt, in seiner vollkommenen Schönheit prangt. Bald
nachdem das Geweih gefegt ist, beginnen die Thiere sich
zur Brunst zu sammeln. Die jüngeren Männchen trennen
sich alsdann ab, während die Kühe mit den diesjährigen Käl-
bern sich in Rudel von 30 bis 50 Stück vereinigen und den
Harem einzelner alter Bullen bilden. Die Lapländer berichteten mir, dass beim Renthierbullen zur Brunstzeit der Hals
bedeutend anschwelle und ein Gewicht von ungefähr zwei
Pud erhalte. Die eigentliche Brunst beginnt nach dem
15. September und dauert in der Regel bis zum October.
Die Bullen sind während derselben im höchsten Grade auf-
geregt, legen alle Scheu bei Seite und führen häufig le-
bensgefährliche Kämpfe unter einander aus. Sie lassen um

diese Zeit auch ein lautes Gebrüll erschallen, das in der Entfernung von einer halben Werst hörbar ist; befindet sich ein anderer Bulle in der Nähe, so beantwortet er sogleich das Gebrüll und geht dem Feinde muthig entgegen. Die Kämpfe, die bei einem solchen Zusammentreffen entstehen, endigen gewöhnlich mit der Flucht des schwächeren Gegners; doch kommt es auch nicht selten vor, dass sich die Kämpfer mit ihrem Geweih so fest verwickeln, dass sie nicht mehr auseinander kommen können und dann elendiglich umkommen. Das Rudel des Besiegten geht in den Besitz des Siegers über. Zuweilen kommt es jedoch vor, dass jüngere Bullen solche Zweikämpfe benutzen und die Kühe wegtreiben. Bald nach Beendigung der Brunstzeit verlieren die ermatteten Bullen ihr Geweih und vereinigen sich in Rudel, die von den Kühen gesondert leben. Im November oder December begeben sich dann die meisten Renthiere auf die Tundra und verleben dort den Winter. Die Geburt der Kälber erfolgt meist um den 23. April (Georgstag), doch kommen häufig auch Spätlinge vor. Das wilde Renthier bringt in der Regel nur ein Kalb, beim domesticirten kommen zuweilen auch zwei zur Welt. Die Kuh wirft gewöhnlich auf einer vom Schnee entblössten Stelle und ist um ihr Junges sehr besorgt. Nach zwei Tagen folgt das Kalb seiner Mutter und wird von dieser bis zum Ende der nächsten Brunstzeit gesäugt. Schon im ersten Jahre haben die Kälber ein kleines Geweih, im folgenden sind sie schon fortpflanzungsfähig, im dritten endlich bilden sie zur Brunstzeit bereits kleine Rudel, erreichen aber erst im fünften Jahre ihre vollkommene Stärke. Wie bereits oben erwähnt, verlieren die alten Bullen ihr Geweih bald nach Ablauf der Brunstzeit, während die Kühe es im Laufe des ganzen Winters behalten und erst nach der Geburt des Kalbes abwerfen. Was-das Abwerfen des Geweihes bei den castrirten Thieren betrifft, so habe ich mich über diesen Punkt genauer erkundigt und Folgendes in Erfahrung gebracht. Nach Aussage der Lapländer verlieren zwar alle castrirten Thiere ihr Geweih, jedoch zu verschiedener Zeit, theils um Neujahr, theils und oft erst sehr spät, sogar gegen Ostern; häufig fällen sie die einzelnen Stangen auch zu verschiedener Zeit und gehen zeitweilig mit einer Stange umher. Ueber den Grund eines solchen Unterschiedes in der Zeit habe ich selbst keine Nachrichten einsammeln können und muss mich mit einem Hinweise auf den Nachtrag zu Lilljeborg's «Sveriges och Norges Ryggradsdjur» beschränken.

Die Nahrung des Renthiers ist sehr einförmig und wechselt nur in ihren Proportionen ab, indem das Thier im Winter vorzugsweise von Renthiermoos lebt, während es im Sommer nur geringe Quantitäten desselben zu sich nimmt. Im Sommer ernährt es sich von Laub, Gras und Pilzen. Ausserdem soll es nach Aussage der Lapländer die Excremente der Auerhühner nicht verschmähen. Leidenschaftlich verfolgt das Renthier den Lemming und frisst ihn sehr gern.

Ausser dem Menschen stellen auch viele Raubthiere dem Renthier nach. Sein schlimmster Feind ist unbedingt der Wolf, da dieser seine regelrechten Jagden in Rudeln anstellt und sowohl den Alten, als auch den Jungen gefährlich wird. Der Bär kann nur selten eines Renthiers habhaft werden, während der Luchs und der Vielfrass vom Baume aus mit grossem Erfolge namentlich den jüngeren Thieren nachstellen.

Die ergiebigste Art der Renthierjagd wird während der Brunstzeit der Thiere betrieben, einerseits weil dieselben dann weniger scheu sind, andererseits weil sie sich leicht durch das Gebrüll zahmer Renthierbullen anlocken lassen. Der Jäger begiebt sich im Gefolge eines solchen zahmen Renthierbullen und eines Hundes, welcher auf bedeutende Entfernung das Vorhandensein von Renthieren angiebt, auf die Jagd. Sobald er in der Nähe des Rudels angelangt ist, wird der wilde Bulle durch das Gebrüll des zahmen angelockt, und der Jäger, welcher sich hinter seinem zahmen Thiere versteckt hält, erlegt ihn mit Leichtigkeit. Ausserdem werden zur Brunstzeit grössere Strecken eingezäunt und in diesem Zaune in einer gewissen Entfernung von einander Durchgänge gelassen, welche mit festen Schlingen versehen sind. Kommt ein flüchtiges Rudel Renthiere an einen solchen Zaun, so werden viele Thiere in den Schlingen gefangen. Solch' ein Zaun mit Schlingen heisst bei den Lappländern *Ganges*. Ausser der Herbstjagd wird auch manches Renthier im Frühling erlegt. Wenn sich zur Frühlingszeit auf den Schneefeldern eine leichte Eiskruste gebildet hat, die wohl stark genug ist, einen Menschen auf Schneeschuhen zu tragen, für die Körperlast des Renthiers dagegen zu schwach ist, werden die Thiere so lange gejagt, bis sie, durch das fortwährende Einsinken in den Schnee und durch das Abschinden der Füsse ermattet, niederfallen, worauf sie meist erstochen werden. Im Sommer endlich gelingt es zuweilen, auf den Pfaden, welche die Renthiere während der Mückenzeit benutzen, ein vereinzeltes Thier in einer Schlinge zu fangen.

Das Fell eines ausgewachsenen Renthierbullen wird mit 3 Rubeln, dasjenige einer Kuh mit 1 Rubel und das eines Kalbes mit 50 Kopeken bezahlt. Die Anwendung derselben ist allgemein bekannt. Das Fleisch wird von den Lappländern verzehrt, das Geweih zu etwa 30 Kopeken per Pud verkauft.

Die Anzahl der domesticirten Renthiere ist in dem von mir bereisten Theile Laplands verhältnissmässig unbedeutend, und die Renthierzucht florirt nur stellenweise. So haben manche der reicheren Bewohner von Kandalakscha und Kola noch bedeutende Renthierheerden, während im Innern des Landes nur die Familie Kobelew, bei Kurenga und Masselga, reich an Renthieren ist. Das Verschwinden der Renthiere ist zum Theil den Verfolgungen seitens der Wölfe zuzuschreiben; doch sind die Lapländer gegenwärtig auch nicht im Stande grössere Renthierheerden zu halten, weil sie gänzlich verarmt sind. Dieses Verarmen ist aber keineswegs eine Folge der Verwüstungen, welche die Wölfe unter den Renthieren anrichten, sondern wird durch ein organisirtes Aussaugen und Ausplündern der Lapländer von Seiten der reicheren russischen Bauern bedingt.

Die Renthiere werden von den Lapländern so lange in der Nähe ihrer Behausungen gehalten, als das Eis auf den Seen noch fest genug zum Fahren ist; darauf werden sie für den ganzen Sommer entweder auf die benachbarten Gebirgsgipfel, oder auf Inseln gebracht, weil sie an solchen Stellen leichter einzufangen sind. Doch ereignet es sich nicht selten, dass solche Renthiere sich den wilden Thieren zugesellen und dann nicht wieder eingefangen werden können. Zuweilen kehren solche Flüchtlinge nach Verlauf von einem oder zwei Jahren selbst wieder zurück. Wenn eine zahme Renthierkuh sich mit einem wilden Bullen gepaart hat, so ist das Kalb so scheu, dass es sich nicht einfangen lässt.

Ordo VII. CETE L.

Genus 1. PHOCAENA Cuv.

38. Phocaena communis Lesson.

1. 1780. *Мееръ-шаейнъ или морская свинья.* Лепехинъ (XXVI), Ч. IV, стр. 361.
2. 1800. *Delphinus Phocaena.* Georgi (XXXI), p. 1672, n. 1.
3. 1834. — *Phocaena.* Melchior (LXIX), p. 291.
4. 1844. — *Phocaena.* Fellman (CII), p. 94.
5. 1847. — *Phocaena* L. Nilsson (CIX), p. 617.
6. 1874. — *Phocaena* L. Aubel (CLIX), p. 71, 410.
7. 1874. *Phocaena communis* Lesson. Lilljeborg (CLVIII), p. 1013 u. 1014.
8. 1875. — *communis* Lesson. Collett (CLXIV), Carte zoogéogr.
9. 1877. — *communis* Lesson. Collett (CLXX). Nyt Mag. f. Naturv. Bd. 22, p. 134, n. 49.

Benennungen: Russisch *Morskaja swinja* (морская свинья) oder *Mangak* (маигакъ) (auch bei Aubél verzeichnet).

Vom Braunfisch lässt sich nur so viel sagen, dass er längs den Ufern unseres Gebietes überall vorkommt, doch meist einzeln auftritt. Ich selbst habe ihn mehrmals im Weissen Meere und einmal im Kandalakscha-Busen beobachtet. Bei den Bären-Inseln und am Terskischen Ufer hat Aubel (6) das Vorkommen desselben nachgewiesen. Fellman (4) führt ihn für Ostfinmarken an, und diese Angabe wird auch durch die übrigen skandinavischen Forscher bestätigt.

Anmerkung 1. Nemirowitsch-Dantschenko führt für die Fischer-Halbinsel den Grind (*Globiocephalus melas* Traill.) an; allein diese Angabe hat noch keine Bestätigung gefunden und ist daher sehr unsicher.

Anmerkung 2. Nach den Angaben von Collett (Nyt Mag. f. Naturv. Bd. 22, p. 141, n. 54) kommt *Delphinus acutus* Gray (*D. leucopleurus* Rasch) an der ganzen Küstenstrecke Norwegens vor; er könnte demnach auch bei uns gefunden werden. Andererseits giebt ihn die Carte zoogéographique desselben Autors nur bis zum Nordcap an, wonach er bei uns fehlen dürfte. In Folge dieser Widersprüche und des Mangels einer Bestätigung seines Vorkommens an den Küsten des russischen Laplands ist es zur Zeit unmöglich, diesen Delphin zu unserer Fauna zu rechnen.

Genus 2· ORCA J. E. Gray.

39. Orca gladiator Lacépède.

1. 1780. *Швердъ-фишъ или косатка.* Лепехинъ (XXVI), Ч. IV, стр. 361.
2. 1800. *Delphinus Orca.* Georgï (XXXI), p. 1673, n. 2.
3. 1834.   —   *Orca* L. Melchior (LXIX), p. 279
4. 1844.   —   *Orca.* Fellman (CII), p. 94.
5. 1847.   —   *Orca* L. Nilsson (CIX), p. 606.
6. 1862. *Косатка.* Соловцовъ (CXXXI). Арх. Губ. Вѣд. стр. 113.
7. 1864. *Orca gladiator* Desm. Malmgren(CXXXIX). Wiegm. Arch. p. 89.
8. 1869. *Косатка.* Дерачевъ (CL). Арх. Губ. Вѣд. № 103.
9. 1874. *Orca gladiator* Lacep. Lilljeborg (CLVIII), p. 1033.
10. 1875.   —   *gladiator* Lacep. Collett (CLXIV), Carte zoogéogr.
11. 1875.   —   *gladiator.* Van-Beneden (CLX). Bull. de l'Acad. des sc. de Belgique, T. XXXIX, p. 857.
12. 1877.   —   *gladiator* Lacep. Collett (CLXX). Nyt Mag. f. Naturv. Bd. 22, p. 137, n. 51.
13. 1877. *Delphinus (Orca) gladiator.* Немировичъ-Данченко (CLXVI), стр. 134.

Benennungen: Russisch *Kossatka* (косатка).

Der Schwertfisch ist nach den aufgezählten Angaben keine seltene Erscheinung an der Murman-Küste und im benachbarten Finmarken. An der ersteren muss er nach Nemirowitsch-Dantschenko (13) in der Nähe der Fischer (Rybatschij)-Halbinsel häufig sein, weil dort am häufigsten Bartenwale von ihm an's Land gejagt werden. Auch nach Ssolówzow (6) soll er der Grund des Strandens der grossen Walthiere sein. Nach Dr. Finsch (11) kommt er im Varanger-Fjorde vor, und nach den übrigen skandinavischen Angaben ist er überhaupt in Finmarken nicht selten. Im Weissen Meere fehlt er gänzlich.

Genus 3. DELPHINAPTERUS Lacep.

40. Delphinapterus leucas Pall.

1. 1800. *Delphinus leucas*. Georgi (XXXI), p. 1674, n. 3.
2. 1834. — *albicans* Fabr. Melchior (CLXIX), p. 289.
3. 1847. — *leucas* Pall. Богуславъ (CVIII). Тр. Имп. Вольн. Экон. Общ. Ч. I, стр. 18.
4. 1847. — *leucas* Pall. Nilsson (CIX), p. 615.
5. 1862. *Delphinapterus leucas* Pall. Данилевскій (CXXXIV), стр. 83, 143—150.
6. 1862. *Delphinapterus leucas* Pall. Quennerstedt, Dissertatio pro gradu Philos. Mag. 1862, p. 17. Nach Lilljeborg (CLVIII), p. 243.
7. 1869. *Бњлуга*. Дергачевъ (CL). Арх. Губ. Вѣд. № 103.
8. 1873. *Delphinapterus leucas* Pall. Schultz (CLIV), p. 26.
9. 1873. — *leucas* Pall. Яржинскій (CLVI).
10. 1874. — *leucas* Pall. Lilljeborg (CLVIII), p. 1004, 1005, 1006.
11. 1874. *Delphinus leucas* Pall. Aubel (CLIX), p. 57, 71.
12. 1875. *Delphinapterus leucas* Pall. Collett (CLXIV), Carte zoogéogr.
13. 1877. — *leucas* Pall. Collett (CLXX). Nyt Mag. f. Naturv. Bd. 22, p. 145, n. 56.

Benennungen: Russisch *Beluga* (бѣлуга). In Büchern findet man zuweilen den Namen *Belucha* zum Unterschiede von *Beluga*, dem Hausen (*Acipenser huso*), angegeben;

doch wird dieser Unterschied von den Bewohnern des Weissen Meeres nicht gemacht, da sie den Hausen nicht kennen. Es ist daher auch die Benennung *Belucha* nicht richtig.

Die Beluga ist ein ständiger Bewohner des Weissen Meeres und kommt daselbst auch an den Küsten der Kola-Halbinsel vor. An der Murman-Küste fehlt sie gänzlich, wohl aus dem Grunde, weil dort das Wasser durch den Golfstrom zu sehr erwärmt ist, wie Jarshinsky (9) mit Recht behauptet. Darauf erscheint sie aber wieder an den Küsten Ostfinmarkens, in einzelnen Exemplaren, vermuthlich lauter solchen, die von Spitzbergen dahin gelangt sind.

Im Kandalakscha-Busen ist das Thier häufig und wurde auch von uns zahlreich beobachtet. Es wird dort selten erlegt, weil, nach Hrn. Lawrow, die Einwohner von Kandalakscha seine Nützlichkeit als Zutreiber der Häringe rühmen. Der Kandalakscha-Busen ist nämlich von steilen Ufern eingefasst, so dass das Meer gleich eine bedeutende Tiefe hat. Aus diesem Grunde ist der Häringsfang nur in dem Falle ergiebig, wenn die Häringe sich auf seichtere Stellen begeben, da solche Fangapparate, mit denen auch in der Tiefe gefischt werden kann, dort gänzlich fehlen. Die Beluga besorgt eben das Geschäft, die Fische durch ihre Verfolgungen dem Ufer zuzutreiben. Da der Fang namentlich um den 15. August stattfindet und die Häringe also nicht um zu laichen dem Ufer sich nähern, so muss man die Hülfsleistung der Beluga wohl anerkennen. Ausser uns hat noch Danilewski (5) die Beluga im Kandalakscha-Busen gefunden; desgleichen Aubèl (11) bei den Medweshji-Inseln und am Terskischen Ufer.

An der Murman-Küste fehlt die Beluga, wie schon erwähnt, gänzlich, so dass die Erlegung eines Exemplars in der Kola-Bucht im Frühling 1880 ein grosses Aufsehen hervorrief. Demnach sind auch die Angaben von Bogu-slav (3) und Dergatscheff (7) über den Beluga-Fang in der Kola-Bucht unrichtig.

In Finmarken ist das Thier nach Nordvi [siehe Lilljeborg (10) und Collett (12)] sowohl im Varanger-, als auch in anderen Fjorden beobachtet worden. So ist z. B. in der Zeit von 1835 bis 1840 ein Thier bei Gam-vig in der Gegend von Naesseby am Varanger-Fjorde gestrandet; ein anderes wurde am 24. Juni 1840 bei Naesseby ohne Erfolg gejagt; ein drittes wurde im Mai 1855 bei Nyelv im Varanger-Fjorde erlegt, und ein viertes bei Naesseby im Jahre 1865 beobachtet. Im Mai 1875 endlich wurde eine Schaar von vier Individuen bei Mortensnaes im Varanger-Fjorde gesehen. Desglei-chen hat ein Kaufmann Jentost aus Vadsö im Laufe der meisten letzten Jahre Exemplare der Beluga an der Mün-dung des Varanger-Fjordes beobachtet. [Siehe Lill-jeborg (10)].

Genus 4. MONODON L.

41. Monodon monoceros L.

1. 1800. *Monodon monoceros.* Georgi (XXXI), p. 1667, n. 1.
2. 1844. — *monoceros.* Fellman (CII), p. 93.
3. 1874. — *monoceros* L. Lilljeborg (CLVIII), p. 999.
4. 1875. — *monoceros* L. Collett (CLXIV), Carte zoogéogr.
5. 1877. — *monoceros* L. Collett (CLXX). Nyt Mag. f. Naturv. Bd. 22, p. 146, n. 57.
6. 1877. — *monoceros.* Немировичъ-Данченко (CLXVI), стр. 135.

Der Narwal ist in einigen Exemplaren auf der nördlichen Küste unseres Gebietes, namentlich in Finmarken, gefunden worden. Die einzigen sicheren Beweise seines Vorkommens sind: erstens ein todtes Exemplar, welches nach Nordvi [siehe Collett (5) und Lilljeborg (3)] im Jahre 1820 im Meskefjord bei Naesseby im Varanger gefunden wurde und von welchem auch Zetterstedt berichten soll, und zweitens ein Exemplar, das während des Aufenthalts von Fellman (2) in Ostfinmarken bei Vadsö erlangt und dessen Zahn als Rarität nach Vadsö gebracht wurde. Für das russische Lapland führt Nemirowitsch-Dantschenko (6) eine Erzählung vom Kampfe eines *Monodon monoceros* mit einem Bartenwal an. Ein Fischer von der Murman-Küste soll Zeuge dieses Kampfes gewesen sein, der in der Nähe der Ura-Bucht, also am Ostufer der Fischer-Halbinsel stattfand. Wie weit diese Angabe zuverlässig ist, vermag ich nicht zu sagen.

Genus 5. HYPERODON Lacep.

42. Hyperodon diodon Lacep.

1. 1780. *Буцкопфъ.* Лепехинъ (XXVI), Ч. IV, стр. 361.
2. 1875. *Hyperodon diodon* (Lacep.). Collett (CLXIV), Carte zoogéogr.
3. 1877. — *diodon* (Lacep.). Collett (CLXX). Nyt Mag. f. Naturv. Bd. 22, p. 149, n. 59.

Die einzige Angabe für unser Gebiet ist die Mittheilung Nordvi's [siehe Collett (3)], dass Exemplare dieser Art in den Jahren 1846 und 1849 bei Vadsö gestrandet und auch welche in späteren Jahren beobachtet worden sind. Die Angabe von Lepechin (1) hingegen ist nicht

zu berücksichtigen, da sie wohl schlechtweg einem älteren
Berichte über das Eismeer entnommen ist.

Ehe ich zur Aufzählung der Bartenwale übergehe, muss
ich einige allgemeine Betrachtungen vorausschicken. Die
russischen Angaben über die Bartenwale des nördlichen
Eismeeres, und namentlich der Murman-Küste, sind derartig, dass ich es entschieden für passender halte, dieselben
gänzlich wegzulassen. Einerseits kann man mit Bestimmtheit behaupten, dass kein einziger Walfisch, welcher an
der Murman-Küste in die Hände der Menschen gekommen, wissenschaftlich bestimmt worden ist. Andererseits
ist das Bestimmen der Walthiere vom Fahrzeuge aus —
und Thatsachen solcher Art finden sich in der Litteratur —
ein an und für sich wenig zuverlässiges Verfahren und
kann nur bei grosser Specialkenntniss der Berichterstatter
auf einige Glaubwürdigkeit Anspruch machen, wogegen
solche Angaben für die Murman-Küste, deren Besucher
diese Specialkenntniss (mit Ausnahme von Prof. Lilljeborg) sicherlich nicht besassen, durchaus keinen Werth
haben.

Aus den eben angeführten Gründen will ich mich darauf beschränken, einige Daten über die Bartenwale an der
Murman-Küste zu geben und dann diejenigen Arten auf-
zuzählen, die in Finmarken (namentlich im Varanger-
Fjorde) mit Gewissheit nachgewiesen worden sind. Unter
den russischen Angaben findet man einige Hinweise darauf,
dass die Mehrzahl der grösseren Walthiere an der Murman-Küste zu den Pottfischen (*Physeter macrocephalus*)
gehöre. Da manche dieser Angaben sogar auf Funde von
Schädeln mit Zähnen hinweisen, so ist wohl anzunehmen,
dass sie sich meist auf *Hyperodon diodon* beziehen. Die

Mehrzahl der Walfische besteht aber jedenfalls aus Bartenwalen, und zwar ausschliesslich aus solchen, die eine Rückenflosse besitzen, folglich zu der Gattung *Balaenoptera* gehören.

Was die Verbreitung der Walfische an der Murman-Küste betrifft, so ist die Insel Danilow der südlichste Punkt, bis zu welchem Bartenwale längs dieser Küste vordringen. Im Weissen Meere erscheinen dieselben nur sehr ausnahmsweise und bezeugen dadurch genügend die Vorliebe, die sie für den Ocean hegen. Der Grund liegt wohl in dem bedeutenderen Futterquantum, welches der Ocean im Verhältniss zum Weissen Meere aufzuweisen hat. Am häufigsten sind aber die Walfische im westlichen Theile des Murmanschen Meeres, in der Umgegend der Fischer-Halbinsel, kurz in denjenigen Theilen, die vom Golfstrom besonders beeinflusst werden. Namentlich zwischen der Insel Kildin und der Fischer-Halbinsel, im Kola-Busen und in der Motowskischen Bucht (auch Motka genannt), sind sie sehr zahlreich. In der letzteren heisst sogar eine kleine Bucht Kitowa- oder Titowa-guba (Walfischbucht)[1]), weil in derselben viele Walfische stranden; dasselbe soll sich auch an den Ufern der Waido-guba an der Westküste der Fischer-Halbinsel ereignen. Weiter nach Westen, bis in den Varanger-Fjord hinein, kommen die Thiere ebenfalls zahlreich vor.

---

1) Russisch heisst der Walfisch *Kit* (китъ), doch nennen ihn die Fischer der Murman-Küste häufig auch *Tit* (титъ). Daraus ergiebt sich die Bezeichnung Titowa-guba als identisch mit Kitowa-guba. Aus diesem Grunde ist die Angabe Hrn. v. Middendorff's und Anderer, welche die Titowa-guba als Titus-Bucht bezeichnen, nicht richtig.

Genus 6. BALAENOPTERA Lacep.

43. Balaenoptera rostrata Fahr.

1. 1874. *Balaenoptera rostrata* Fabr. Lilljeborg (CLVIII), p. 941.
2. 1874.   —   *rostrata*: Sars. Förh. i Vid. Selsk. i Christ. p. 240.
3. 1875.   —   *rostrata* Fabr. Collett (CLXIV), Carte zoogéogr.
4. 1877.   —   *rostrata* Fabr. Collett (CLXX). Nyt Mag. f. Naturv. Bd. 22, p. 154—156.

Aus den citirten Angaben lässt sich nur der Schluss
ziehen, dass dieses Walthier in Finmarken bis in den
Varanger-Fjord und zur russischen Grenze hin vorkommt, und dass es daher zü unserem Gebiete gehört.

44. Balaenoptera laticeps Gray.

1. 1864. *Balaenoptera laticeps* (J. Gray). Malmgren (CXXXIX). Wiegm.
Arch. p. 97.
2. 1874.   —   *laticeps* Gray. Lilljeborg (CLVIII), p. 948.
3. 1874.   —   *laticeps*. Sars. Förh. i Vid. Selsk. i Christ. p. 240.
4. 1875.   —   *laticeps* Gray. Collett (CLXIV), Carte zoogéogr.
5. 1877.   —   *laticeps* Gray. Collett (CLXX). Nyt Mag. f. Naturv.
Bd. 22, p. 156, 157.
6. 1878.   —   *laticeps* Gray. Sars (CLXXVII). Förh. i Vid. Selsk. i
Christ. № 15. Rettelse.
7. 1880.   —   *laticeps* Gray. Sars (CLXXXII). Ibidem, № 12.

Malmgren (1) berichtete im Jahre 1863 (schwed.
Abh.), dass an den Küsten Finmarkens mit dem Namen
Seiqual eine kleine Walart bezeichnet wird, die sich zur

Zeit des Fanges von *Mallotus arcticus* einfindet. Diese Bezeichnung mag wohl zum Theil der *Balaenoptera laticeps* zukommen, gewöhnlich aber für *Balaenoptera rostrata* gebraucht werden. Lilljeborg (2) berichtet ferner, dass nach Van-Beneden ein Skelet dieser Art aus Ostfinmarken sich im Brüsseler Museum befindet. Sars (3), welcher im Jahre 1874 auf der Fabrik von Svend Foyn gearbeitet hat, sprach die Vermuthung aus, dass die von Letzterem als *Finhval* bezeichnete Art, die nur im Frühling in unbedeutender Anzahl gefangen wird, zu *B. laticeps* gehöre. Auch glaubt er selbst die Art im Varanger-Fjorde beobachtet zu haben. Auf Sars' Autorität hin war auch Collett (4, 5) derselben Ansicht, und Sars (6) bestärkte dieselbe noch durch eine Notiz, die er seiner Arbeit vom Jahre 1878 hinzufügte, dass Foyn's *Finhval* die *Balaenoptera laticeps* Gray sei. Als er sich aber im Frühling des Jahres 1879 zeitig auf Foyn's Fabrik einfand und dem Walfange während der Zeit des Auftretens von *Mallotus arcticus* seine Aufmerksamkeit schenkte, ergab es sich, dass Foyn's *Finhval* die *Balaenoptera musculus* Comp. ist. Hierdurch ist also das Vorkommen der *Balaenoptera laticeps* auf die einzelnen aufgezählten Funde beschränkt und bedarf noch weiterer Erforschung.

45. Balaenoptera musculus Companyo.

1. 1864. *Balaenoptera musculus?* Comp. Malmgren (CXXXIX). Wiegm. Arch. p. 94.
2. 1874. — *musculus* Comp. Lilljeborg (CLVIII), p. 955.
3. 1874. — *musculus.* Sars. Förh. i Vid. Selsk. i Christ. p. 240.
4. 1875. — *musculus* Comp. Collett (CLXIV), Carte zoogéogr.

5. 1877. *Balaenoptera musculus* Comp. Collett (CLXX). Nyt Mag. f. Naturv. Bd. 22, p. 164.
6. 1880·   —   *musculus* Comp. Sars (CLXXXII). Förb. i Vidensk. Selsk. i Christ. № 12, p. 2.

Wie ich schon bei der Besprechung der vorigen Art bemerkt habe, hat sich Foyn's *Finhval* als *Balaenoptera musculus* erwiesen. Diese Art, die sich hauptsächlich von *Mallotus arcticus* nährt, erscheint Anfang März an den Küsten Finmarkens und wohl auch des russischen Laplands und hält sich dort ungefähr bis zum Johannistage (24. Juni) auf. Später wird sie nur höchst selten gefunden. Im Laufe des Frühjahrs wird sie von Foyn erbeutet, doch immer in unbedeutender Menge, da diese Jahreszeit zum Walfischfange nicht günstig ist.

46. Balaenoptera Sibbaldii Gray.

1. 1864. *Balaenoptera gigas* (Eschr.). Malmgren (CXXXIX). Wiegm. Arch. p. 94.
2. 1874.   —   *Sibbaldii* Gray. Sars. Förh. i Vid. Selsk. i Christ. p. 227 et seq.
3. 1875.   —   *Sibbaldii* Gray. Collett (CLXIV), Carte zoogéogr.
4. 1875.   —   *Sibbaldii* Gray. Van-Beneden (CLX). Bull. de l'Acad. des sc. de Belg. Bd. XXXIX, p. 853 et seq.
5. 1877.   —   *Sibbaldii* Gray. Collett (CLXX). Nyt Mag. f. Naturv. Bd. 22, p. 157—164.

Schon Malmgren (1) behauptete im Jahre 1863, dass die Walart, welche von den Eingeborenen Finmarkens *Slätback* genannt wird, zu der *Balaenoptera Sibbaldii* gehöre, da deren Rückenflosse so gering ist, dass es den Anschein hat, als ob der Walfisch hinten glatt wäre, was auch seine Benennung besagt. Diese Meinung bestätigte sich durch die von Dr. Finsch an Prof. Van-Beneden (4) übergebenen Belegstücke, so wie durch die früher veröffentlichte Arbeit von Sars (2) und die Untersuchungen von Collett (5). *Balaenoptera Sibbaldii* ist ohne Zweifel das häufigste Walthier der Küsten Finmarkens und erscheint dort Ende April oder Anfang Mai, um den Sommer daselbst zu verbringen und in der Regel Anfang September, zuweilen aber schon Ende Juli sich nach Norden zurückzubegeben. Diese Art wird auch hauptsächlich von Foyn und den anderen Companien erbeutet. Dabei erweisen sich die Gegenden an der russischen Grenze als die besten Fangplätze, woraus man wohl schliessen darf, dass *B. Sibbaldii* auch weiter nach Osten hin verbreitet ist und in der an Walthieren reichen Gegend zwischen der Rybatschij-Halbinsel und der Insel Kildin vorkommt. Ihre Nahrung besteht fast ausschliesslich aus dem sogenannten *Kril* (*Thysanopoda inermis*).-

Genus 7. MEGAPTERA Gray.

47. Megaptera boops Fahr.

(*Balaenoptera longimana* Rud.).

1. 1874. *Megaptera boops*. Sars. Förh. i Vid. Selsk. i Christ. p. 239.
2. 1875. — *boops* Fabr. Collett (CLXIV), Carte zoogéogr.
3. 1877. — *boops* Fabr. Collett (CLXX). Nyt Mag. f. Naturv. Bd. 22, p. 152, 153.
4. 1880. — *boops* Fabr. Sars (CLXXXII). Förh. i Vid. Selsk. i Christ. № 12, p. 8.

Der langarmige Walfisch scheint die seltenste Art in den Gewässern Finmarkens zu sein. Von Foyn wird dieselbe nur sehr ausnahmsweise gefangen, so dass von allen Besuchern seiner Anstalt nur Prof. Sars (4) im Jahre 1880 das Glück hatte, ein Exemplar dieser Art zu untersuchen und eine Abbildung zu liefern. Er soll im Frühling erscheinen, doch in sehr geringer Menge; nur im Februar des Jahres 1873 soll sich im Varanger-Fjorde und längs der russischen Küste eine Walart in unglaublicher Menge gezeigt haben, welche nach Foyn's Ansicht dieser Art angehörte.

Verzeichniss der besprochenen Genera und Arten.

Die im Text oder in den Anmerkungen gebräuchten Namen sind in *Cursivschrift*, die synonymen Bezeichnungen in gerader Schrift gedruckt.)

	Seite.
Arvicola Lacep...............	35
Arvicola agrestis L............	41
— amphibius L.......;...	34
— *glareolus* Schreb......	37
— *gregarius* L...........	41
— medius Nilss.........	35
— *oeconomus* Pall....,...	35
— ratticeps K. et Bl.	35
— *rufocanus* Sundev....	39
— *rutilus* Pall..........	38
Balaenoptera Lacep.	204
Balaenoptera gigas (Eschr.)....	206
— *laticeps* Gray	204
— *longimana* Rud...	207
— *musculus* Comp...	205
— *rostrata* Fabr. ...	204
— *Sibbaldii* Gray...	206
Canis L..................	126
Canis lagopus L.............	137
— *lupus* L...............	126
— Lycaon Gm..........	133
— Melaleucus. .....\......	133
— nigro-argenteus ....,	133
— *Vulpes* L.	132
Castor L................	111
Castor fiber L...............	111
Cervus L. ...\.............	176
Cervus Alces L..............	176
— Tarandus L.........	179,180

	Seite.
Crossopus Wagler	29
Crossopus fodiens Pall.	29
— fodiens Schreb......	29
Cystophora Nilss. ....,....	172
Cystophora borealis Nilss.....	172
— cristata Erxl.	172
— cristata Nilss.	172
Delphinapterus Lacep........,	198
Delphinapterus leucas Pall.	198
Delphinus acutus Gray........	197
— albicans Fabr.......	198
— gladiator	197
— leucas Pall.	198
— leucopleurus Rasch..	197
— Orca L.	197
— Phocaena L.	196
Felis L.	121
Felis Lyncula..............	122
— *Lynx* L	121
Fiber castor	111
Globiocephalus *melas* Traill. ..	196
Gulo Storr..............	147
Gulo borealis Nilss..........	147
— *borealis* Retz...........	147
Halichoerus Nilss.	170
Halichoerus grypus Fabr.	170
Hermelinus	155

	Seite.
Hyperodon Lacep.. 201	
Hyperodon diodon Lacep. 201	
Hypudaeus Illig.............. 34	
Hypudaeus amphibius L....... 34	
— glareolus 37	
— medius Nilss. 35	
— ratticeps 35	
— rutilus Nilss....... 39	
Lemmus.................47, 49	
Lemmus agrestis L. 41	
— amphibius 34	
— arvalis............. 41	
— borealis..........,... 48	
— •glareolus Schreb..... 37	
— medius Nilss...,...... 35	
— -norwegicus Desm..... 49	
— norwegicus Ray.....:. 48	
— Norwegicus Worm..48, 49	
— rufocanus Sundev..... 39	
— rutilus Pall. 38	
Lepus L..................108	
Lepus borealis Nilss. ....,..108	
— timidus L..........108, 109	
— *variabilis* Pall...:......108	
Lutra Raj., Erxl. 159	
Lutra vulgaris Erxl.:........159	
Marmota Lemmus Blumenb. ... 47	
Martes foina Briss...........152	
— sylvatica Nilss........152	
Megaptera Gray.............207	
Megaptera boops Fabr........207	
Meles Taxus Schreb. 147	
Monodon L..................200	
Monodon monoceros L. 200	
Mus L. 30	
Mus agrestis 41	
— amphibius 34	
— *decumanus* Pall. 31	
— Lemmus L. ....47—49	
— *musculus* L.............. 31	
— norwagicus 47	
— oeconomus Pall. 35	
— *Rattus* L................. 30	
— *sylvaticus* L............. 33	
Mustela L. 151	
Mustela alpina.............155	
— *Erminea* L. 155	

	Seite.
Mustela Gulo............147, 148	
— Lutra L. 159	
— *Lutreola* L. 155	
— *Martes* Briss. 151	
— martri...............148	
— nivalis L.............158	
— sylvatica Nilss........152	
— sylvestris Gesn.......151	
— *vulgaris* Briss........158	
— vulgaris Erxl........158	
— *zibellina* Gm.........154	
Myodes Pall. 42	
Myodes Lemmus L. 47	
— schisticolor Lilljeb... 42	
Orca J. E. Gray 197	
Orca gladiator Desm.........197	
— *gladiator* Lacep........197	
Phoca L. 161	
Phoca albigena Pall..........168	
— annellata Nilss.......163	
— barbata Fabr., Nilss....169	
— *barbata* Müll. 168	
— cristata Erxl..........172	
— cucullata.............163	
— dorsata Pall.........164	
— *foetida* Müll...........163	
— *groenlandica* Müll.......164	
— grypus..............171	
— hispida Müll. 163	
— leonina 172	
— leporina Lepechin 168' 169	
— Lepus marinus Lepechin 168, 169	
— monachus L...........172	
— oceanica Lepechin,....164	
— Rosmarus L...........174	
— ursina 168	
— variegata............162	
— *vitulina* Fabr..........161	
— vitulina L. 161, 162	
Phocaena Cuv. 196	
Phocaena communis Lesson ...196	
Pteromys Geoffr............104	
Pteromys volans L..........104	
Rangifer Hamilton Smith ...179	
Rangifer sylvester 179	

	Seite.		Seite.
Rangifer Tarandus L	179	**Ursus** L	140
Rosmarus arcticus Pall	174	*Ursus arctos* L	142
		— Gulo	148
Sabellina	154	— *marinus* Pall	140
Sciuropterus volans	104	— maritimus L	140
Sciurus L	105	— Meles	147
Sciurus volans	104		
— *vulgaris* L	105	**Vespertilio** murinus	25
Sorex L	27	*Vesperugo* K. et Bl	25
Sorex araneus L	27	*Vesperugo borealis* Nilss	25
— fodiens	29	— Kuhlii Nilss	25
— minutus L	28	— Nilssonii Keys. et Bl.	25
— *pygmaeus* Pall	28	Viverra Lutreola	155
— *vulgaris* L	27	— nivalis	158
		Vulpecula	132
Trichechus L	174	Vulpes	132, 137
Trichechus Rosmarus L	174	Vulpes lagopus L	137
		— vulgaris Gray	133

Berichtigung.

Da das obige Werk in meiner Abwesenheit gedruckt wurde, so war es bei aller Sorgfalt der Correctur nicht zu vermeiden, dass sich in manche unbekanntere Orts- und fremdländische Thiernamen kleine Druckfehler einschlichen. Ein glücklicher Zufall wollte es jedoch, dass ich, von meiner Reise nach dem Ussuri-Lande früher als erwartet zurückgekehrt, das im Erscheinen begriffene Werk noch durchsehen und, wie hiemit geschieht, nachträglich berichtigen könnte. Ausser den nachfolgend aufgezählten Druckfehlern, will ich dabei noch besonders einen durch Missverständniss entstandenen und mehrfach wiederholten Fehler, um Wiederholungen zu vermeiden, hier ein für allemal berichtigen. Wie auf Seite 91 bemerkt, ist mir die Jahreszahl, wann Fellman's Werk «Bidrag till Lappmarkens Fauna» erschienen, unbekannt geblieben, weshalb ich dasselbe bei Aufzählung der Litteratur und Synonymie der einzelnen Arten stets zu allerletzt angeführt und an Stelle der Jahreszahl einen Strich gesetzt habe. Dies ist jedoch beim Druck so verstanden worden, als sei damit eine Wiederholung der an entsprechender Stelle vorhergehenden Jahreszahl gemeint. Man sehe daher im Obigen allenthalben von der beim Fellman'schen Werk angegebenen Jahreszahl ab.

Bemerkte grössere Druckfehler.

Seite	2,	Zeile 11	von	Unten	statt	Kitzä	lies	Kitza
»	11	» 7.	»	».	»	Artic	»	Arctic
»	25	» 10	»	oben	».	(CLXXIII)	»	(CLXXXIII).
»	39	» 11	»	»	»	Kitzä	»	Kitza
»	53	» 4	»	unten	»	et Betulae nanae	»	α. Betulae nanae
»-	57	» 2	»	oben	»	bewohnen	»	bewohnten
»	61	» 9	»	»	»			
»	69	» 10	»	»	» } Kitzä		»	Kitza
»	70	» 4	»	unten	»			
»	108	» 17	»	oben	»	Jenvje	»	Jeuvje
»	116	» 5	»	unten	»	Peldovuome	»	Peldovuoma
»	119	» 16	»	oben	»	Ikoaro-Elf	»	Skoaro-Elf
»	»	» »	»	»	»	Polmuk	»	Polmak
»	»	» 3	»	unten	»	Skoltifinnen	»	Skoltefinnen
»	132	» 12	»	»	»	Balgstücke	»	Belegstücke
»	143	» 14	»	oben	»	Leem (53)	»	Leem (5)
»	146	» 7	»	»	»	Gyljens, Masugn	»	Gyljens-Masugn
»	161	» 8.	»	»	»	Njarduna	»	Njawdema
»	170	» 9	»	unten	»	Har-Ert	»	Hav-Ert
»	200	» 13	»	»	»	Jentost	»	Jentovt

Tafel.

Myodes Lemmus L. Fig. 1 Männchen, Fig. 2 Weibchen, in ³/₄ der natürlichen Grösse, nach einer von mir entworfenen Originalskizze, sò wie nach den aus Lapland von mir mitgebrachten und in St. Petersburg unter meinen Augen ausgestopften Exemplaren gezeichnet, lithographirt und colorirt von G. Mützel in Berlin.

MYODES LEMMUS L. Fig. 1 ♂. 2 ♀.

1.

3/4.

2.

and VII - resume
@ Band IX, thx ☺

Von der zweiten Folge der

Beiträge zur Kenntniss des Russischen Reiches

sind bisher erschienen:

Bd. I. **J. F. BRANDT,** Bericht über die Fortschritte, welche die zoologischen Wissenschaften den von der Kaiserlichen Akademie der Wissenschaften zu St. Petersburg von 1831 bis 1879 herausgegebenen Schriften verdanken. 1879. Pr. 90 Kop. = 3 Mrk.

Bd. II. **H. GOEBEL,** Die Vögel des Kreises Uman, Gouvernement Kiew, mit besonderer Rücksicht auf ihre Zugverhältnisse und ihr Brutgeschäft. 1879. Pr. 1 Rbl. 20 Kop. = 4 Mrk.

Bd. III. **Fr. Th. KÖPPEN,** Die schädlichen Insekten Russlands. Mit einer Tafel. 1880. Pr. 2 Rbl. 30 Kop. = 7 Mrk. 70 Pf.

Bd. IV. Gemischten Inhalts. 1881. Pr. 90 Kop. = 3 Mrk.

Bd. V. **G. v. HELMERSEN,** Geologische und physico-geographische Beobachtungen im Olonezer Bergrevier. Mit einer Karte und einem Atlas von 6 Tafeln. 1882. Pr. 3 Rbl. = 10 Mrk.

Bd. VI. Gemischten Inhalts Mit einer Karte. 1883. Pr. 1 Rbl. 50 Kop. = 5 Mrk.

Bd. VII. **Theodor PLESKE,** Uebersicht der Säugethiere und Vögel der Kola-Halbinsel. Theil I. Säugethiere. Mit einer Tafel. 1884. Pr. 1 Rbl. 30 Kop = 4 Mrk. 30 Pf.